Alain Astouric

Une femme
Un récit regorgeant de faits actuels sur l'égalité de droits entre hommes et femmes

LE LYS BLEU
EDITIONS

© Lys Bleu Éditions – Alain Astouric

ISBN : 979-10-422-0371-9

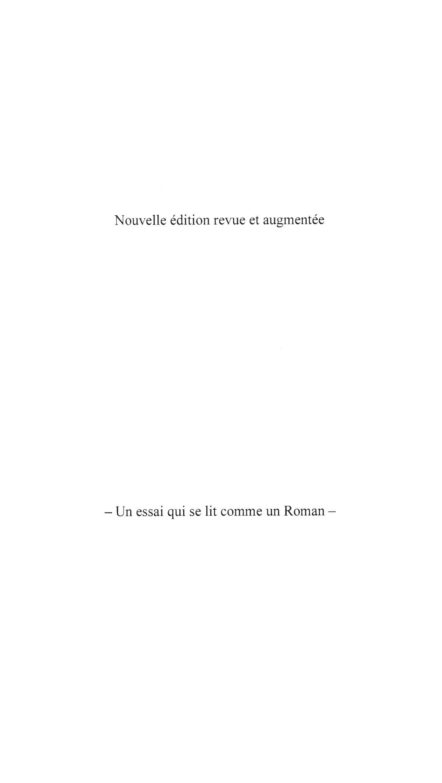

Nouvelle édition revue et augmentée

– Un essai qui se lit comme un Roman –

Jamais toute la morale d'un pédagogue ne vaudra le bavardage, affectueux et tendre d'une femme sensée pour qui l'on a de l'attachement.

Jean-Jacques Rousseau

1
Les réseaux féminins

Mon rôle de second n'est-il pas de vous aider à envisager toutes les options possibles, afin que vous décidiez au mieux, dans l'intérêt de notre mission ? Lionel finissait d'écrire cette réplique du nouveau feuilleton télévisé dont il avait accepté de traduire les dialogues, lorsque le téléphone sonna. Bonne nouvelle, c'était Gérald, le rédacteur en chef adjoint d'un quotidien pour lequel il travaillait régulièrement. Au fil de leurs échanges et du temps, une certaine complicité intellectuelle s'était établie entre les deux hommes qui savaient s'écouter et se comprendre.

— *Salut Lionel. Comment va ? J'ai un nouveau boulot pour toi. Tu as une minute ? Je t'explique.*

— *Oui Gérald, j't'écoute.*

— *Le journal se porte bien. Pour nos lecteurs de presse écrite, la qualité des contenus prime sur tout le reste, on en parlait encore hier en conférence de rédaction. On va donc conserver ce bon niveau de qualité et notre ligne éditoriale qui réussit, tout en répondant à la nouvelle demande de loisirs.*

— *Demande de loisirs ?*

— *Oui. Les gens ne veulent plus seulement lire leur journal, ils ont aussi besoin d'occuper leur temps libre. On va ajouter une grille de mots croisés et en juillet et août, on ajoutera aussi ce que j'appelle des historiettes. C'est un début, qu'en dis-tu, Lionel ?*

— *Historiettes ? J'ne vois pas bien où tu veux aller.*

— *Je pense à de petits récits plaisants, des anecdotes qui peuvent être historiques ou pas, amusantes, insolites... D'autres journaux le font depuis quelque temps, surtout pour leurs éditions du week-end. Tu trouveras facilement. J'ai pensé à toi pour écrire ces petites histoires. Ça te dit ?*

— *Euh... oui. Vu comme ça... je... Gérald, je vais d'abord voir ce qui se fait, puisque d'autres le font. Il faut que je sache.*

— *Je suis à peu près sûr que d'ici quelque temps les journaux et hebdomadaires comporteront des pages entières de mots croisés, d'histoires et de jeux de toutes sortes. La demande existe.*

— *Euh, oui, je... Je vais voir ça.*

— *On voit apparaître des jeux avec des chiffres, d'autres avec des mots entremêlés. Bref, ça bouge dans tous les sens. Nous aussi nous devons innover.*

— *Oui, oui, Gérald.*

— *Pourquoi pas des récits comiques, taquins, drôles, étonnants... Pas de vulgaires blagues de comptoir. Là aussi, nous devons faire la différence.*

— *Ce serait pour quand ?*

— *L'été prochain. Une histoire par jour en juillet et août.*

Déjà précaire dans les années 1980, le métier de pigiste reste de nos jours modeste et fragile. Surtout pour les femmes journalistes dont 55 % exercent sous le statut de pigiste. À l'époque, seuls quelques rédacteurs indépendants suffisamment aguerris et ayant su se créer un solide réseau de connaissances tiraient vraiment leur épingle du jeu en tant que journalistes rémunérés à la tâche. Lionel était de cela. Aussi se satisfaisait-il de ce travail d'indépendant, pour le compte de journaux et d'un magazine. Titulaire d'une carte de presse et soumis aux règles déontologiques de la profession, il avait gagné son autonomie après une série d'expériences professionnelles pas toutes heureuses. En particulier les années passées dans cette entreprise internationale où sa place sur l'organigramme, comme rédacteur du journal du Groupe, le conduisait trop souvent à son goût, à devoir mettre en avant des idées auxquelles il n'adhérait que peu. Lionel, se sachant incapable de tenir longtemps une ligne éditoriale trop strictement imposée, sans pouvoir un seul instant en prendre le contre-pied, ne serait-ce que pour commencer à équilibrer l'information du lecteur, avait de lui-même quitté cet emploi. La situation était trop désagréable à vivre, pour quelqu'un d'une sensibilité aussi généreuse que la sienne. C'est donc par honnêteté intellectuelle qu'il avait choisi cette forme de fuite. Plus exactement cette forme d'intelligence d'évitement, comme il aimait le dire, voulant par-là inciter son interlocuteur à réfléchir sur le périmètre de l'obligation de loyauté qu'un collaborateur doit à l'entreprise, l'institution ou l'organisme pour lequel il travaille. Lionel qui se sentait suffisamment décidé, motivé et énergique pour tenter le travail en libéral, opta pour ce changement radical. Il savait qu'en quittant son emploi salarié pour devenir indépendant, il aurait nécessairement à s'adapter aux demandes des commanditaires et autres clients, mais il comptait ne pas avoir à se soumettre totalement. Malgré sa tendance naturelle à la modestie, il restait convaincu que sa plume, qu'il maniait déjà avec talent, une fois mise au service du réseau de connaissances qu'il se constituait depuis quelques années, lui permettrait de ne pas trop avoir à déguiser ses idées. Peut-être même qu'en free-lance, Lionel pourrait s'autoriser quelques écrits authentiques. Du moins l'espérait-il, attachant grand prix à l'authenticité et à la sincérité, ces deux qualités complémentaires appréciées des lecteurs dès lors qu'elles sont intelligemment mises en œuvre.

Le réseau de connaissances dont dispose une personne a toujours été un important facteur de sa réussite. De nos jours, sur Internet les moyens modernes offrent de belles possibilités. En outre, il n'est pas rare que l'adhésion à un club, une association, un syndicat, une amicale améliore encore l'envergure et donc l'efficacité d'un réseau personnel. De plus, bien qu'il ne faille pas voir en cela une règle absolue, souvent des critères comme le genre dont on est, les études que l'on a suivies ou la strate (couche, classe) sociétale dont on est issu, prévalent à la constitution de notre réseau personnel. Toujours sur Internet, des réseaux professionnels féminins sont nés dans les années deux mille avec une particularité significative : nombreuses sont les femmes qui voient leur appartenance à l'un de ces réseaux, comme un don précieux de leur temps et en conséquence, en attendent un retour rapide sur investissement. Un calcul probablement dû au fait que le temps dont disposent les femmes est davantage compté que celui des hommes. Dans ces conditions, les réseaux féminins ne sont pas simplement axés sur le business, mais constituent bien souvent des regroupements dans lesquels les femmes s'entraident, s'encouragent, partagent leurs expériences. Y compris celles personnelles. Ainsi, les réseaux féminins sont quelquefois devenus des points de rencontre constituant une opportunité pour briser le plafond de verre qui bloque une évolution de carrière et qui agace quand on est une femme cadre. Au travers de leurs réseaux les femmes peuvent alors travailler leur image de marque, s'adonnant ainsi à une sorte de marketing de soi que les Anglo-Saxons ont baptisé personal branding (marketing personnel). Ce dernier incitant les personnes à mettre en avant leur propre valeur ajoutée et à souligner leurs caractéristiques les plus valorisantes.

Après une éternité d'immobilisme, durant laquelle les femmes ont subi d'innombrables agressions de toutes sortes, en France, la publication au début des années 2000 de l'Enquête nationale sur les violences envers les femmes en France (Enveff) a eu un impact considérable. Cette étude précisait qu'une femme sur dix était victime de violences conjugales. L'État a soudainement pris conscience de l'ampleur du phénomène. Les violences faites aux femmes sont sorties de la sphère privée pour devenir un problème d'abord public, puis politique. Mais c'est surtout le mouvement #MeToo qui a permis un changement radical de regard sur les violences faites aux femmes dans la société, en général. En octobre 2017, à la suite d'un scandale sexuel survenu dans le milieu du cinéma américain, le mouvement #MeToo a provoqué une révolution sociale et politique internationale. La parole de femmes victimes de violences sexuelles s'est soudainement libérée et diffusée dans près de 100 pays, relançant la lutte pour l'égalité des sexes. Rapidement, des femmes ont raconté leurs agressions et dénoncé les harcèlements dont elles été victimes au travail ou dans le cadre familial. En France, le mot-clé #BalanceTonPorc a alors incité les victimes à dévoiler les noms de leurs agresseurs. Arrivé à ce niveau d'activisme, le mouvement n'a pas toujours été accueilli à bras ouverts. De sorte que la haine pour les hommes, exprimée par une minorité de féministes radicales, a fait scandale à son tour.

Que le bon soit toujours camarade du beau, dès demain je chercherai femme.

Jean de la Fontaine

2
D'un ton étrangement détaché

Disparitions

Douze ouvrières, qui comme chaque matin se rendaient à leur travail par une route fréquentée, ont soudainement disparu. Comment est-ce possible ? Il y avait bien eu ce bruit sourd, lointain. Une sorte de bourdonnement d'une dizaine de minutes vers le moment présumé de la disparition. Mais comme dans le secteur les bruits et mouvements ne manquent pas, au contraire, ça bouge, ça claque, ça parle, ça chantonne ou ça rouspète, ça souffle ou ça baille surtout le matin et le soir, alors, un bruit de plus ou de moins ce n'était pas bien significatif, avaient d'abord pensé les enquêteurs. Après huit jours à chercher à en savoir un peu plus, ils en arrivaient au même constat, celui d'un bruit sourd, inexpliqué. Seul un ancien avait évoqué une vieille histoire qui se serait produite il y a longtemps. À l'époque déjà, une demi-douzaine de jeunes ouvrières avait disparu un jour de bruit et personne n'avait jamais réussi à élucider quoi que ce soit.

Les jours passaient, l'enquête piétinait, le climat s'alourdissait.

C'est alors que la nouvelle tomba : Cinq nouvelles disparitions aussi soudaines qu'inexpliquées ! Des disparitions intervenues sur la même route, avec le même bruit de fond, à peu près à la même heure que la fois précédente. Exactement sept jours plus tard.

Piqués au vif par ce nouveau défi, les enquêteurs redoublèrent d'activité. La cellule d'enquête fut renforcée et la communication améliorée. À ceci près que l'on n'avait pas grand-chose à communiquer. Alors comme souvent dans un tel cas, les médias se mirent à répéter le peu qu'ils savaient. Du coup, les disparues des jours de bruit étaient véritablement sur toutes les lèvres et dans toutes les oreilles. C'est d'ailleurs en les nommant de la sorte que l'ancien demanda à parler à l'enquêteur en chef.

— Voilà. C'est à propos des disparues des jours de bruit. Je me suis souvenu que les enquêteurs de l'époque étaient offusqués par la propreté.

— La propreté ?

— Oui, la propreté des lieux. Ils disaient qu'à l'endroit présumé de la disparition tout était parfaitement propre ; qu'il ne restait plus une seule brindille et qu'un tel niveau de propreté était inhabituel ;

— Oui, en effet. Je vais voir ça. Vous avez bien fait de m'en parler. Merci.

Si l'enquêteur en chef avait aussi vite mis fin à l'entretien, c'est parce qu'il s'en voulait déjà de ne pas y avoir pensé plus tôt. C'est pourtant évident, se dit-il. Les ouvrières disparues sont des fourmis et le bruit est celui d'un aspirateur.

Voilà tout ce que Lionel avait réussi à écrire alors que finissait cette belle journée d'avril 1986. Une seule et unique historiette intitulée, Disparitions. À ce rythme-là, il ne remplirait pas le contrat. C'est qu'en s'engageant à alimenter la nouvelle rubrique, Divertissement, du quotidien qui venait de lui passer commande, Lionel avait signé pour fournir une histoire par jour durant les deux mois d'été. Soit une soixantaine de fois ce qu'il venait de mettre 48 heures à pondre. Il est vrai que ce n'est pas rien soixante histoires à créer entièrement. Même des histoires courtes. D'où l'idée de prendre un peu d'avance en s'isolant dans sa sympathique maison de campagne. Mais manifestement, cela ne suffisait pas. Il avait beau réunir toutes les conditions de réussite, il n'y arrivait pas. Avec comme fardeau supplémentaire, la question qui le hantait depuis le premier jour : les histoires un brin fantaisistes et même carrément loufoques pour certaines, qu'il s'apprêtait à écrire, conviendraient-elles ? Son style de divertissement littéraire, puisque divertissement il devait y avoir, plairait-il ? Gérald, le rédac'chef, lui avait laissé toute latitude. Peut-être un peu trop. Se divertir en lisant, cela signifie quoi exactement ? N'est-ce pas à la fois suffisant et insuffisant comme explication sur la nature des textes attendus ? Lionel ne savait plus que penser. Il ne savait plus très bien comment poursuivre. Maintenant confronté à la réalité du problème, il regrettait de ne pas avoir débattu dans l'instant, ne serait-ce qu'un peu, sur ce que Gérald attendait exactement de lui. Étant donné qu'à l'époque, l'usage du téléphone était bien moins répandu que de nos jours, il n'était pas non plus question de risquer d'inquiéter le client qu'était avant tout Gérald, en l'appelant pour si peu. En conséquence, Lionel se retrouvait dans la situation de l'âne de Buridan. Cette pauvre bête dont la fable nous dit qu'elle est paradoxalement morte de faim et de soif devant son picotin d'avoine et son seau d'eau, faute d'avoir su choisir par quoi commencer. Comme dans la parabole, Lionel était face au dilemme de l'embarras dans lequel peut nous mettre la nécessité d'opérer un choix. Somme toute, cette légende nous enseigne que décider, trancher, opter, prendre position c'est ne retenir qu'une seule solution et donc repousser les autres. En d'autres termes, la parabole de l'âne de Buridan nous dit que : Choisir c'est renoncer ! D'ailleurs ne retrouve-t-on pas cette idée de renoncement dans l'expression tout à fait parlante, d'embarras du choix.

De la même sorte, mais dans un registre plus intime, Lionel regrettait de ne pas avoir insisté auprès d'Ophélie, il y a trois jours maintenant, alors qu'il s'apprêtait à quitter Paris. Parce qu'il pensait bien connaître sa compagne, il était sûr qu'il lui aurait suffi d'insister un peu pour qu'elle lui dévoile ce « truc » qu'elle avait évoqué à l'instant où ils se disaient aurevoir : Je viendrai comme prévu te rejoindre mercredi après-midi. Je te parlerai d'un truc qui m'est arrivé au boulot, avait-elle dit d'un ton étrangement détaché qu'il ne lui connaissait pas. Lionel regrettait d'autant plus son manque d'à-propos que d'ordinaire Ophélie parlait peu de ses activités professionnelles. Dès lors, cette annonce anticipée, cette précaution inhabituelle prise du bout des lèvres lui laissait au minimum de quoi s'interroger. Heureusement, il n'en avait plus pour longtemps à s'impatienter puisque la semaine raccourcie, pour cause de jeudi férié, prenait fin demain. Deux fois par mois Ophélie, qui travaillait dans un ministère, finissait la semaine quelques heures plus tôt. Ainsi demain, mercredi veille du premier mai, Ophélie pourrait attraper le Paris-Cherbourg de 16 h 22 pour rejoindre Lionel en début de soirée. Autant dire que d'ici là, il n'aurait pas grand-chose de plus à lui faire lire. Ophélie serait forcément déçue, elle qui se montrait toujours aussi gourmande de découvrir en avant-première les créations de son compagnon. À ce propos, Lionel, fier de leur complicité littéraire, expliquait à qui voulait l'entendre : Les femmes ont toujours été pour de nombreux auteurs, créateurs ou artistes une source d'inspiration. Elles se sont nourries de leur art, bien avant de s'émanciper elles-mêmes. Moi, ma muse c'est Ophélie, ajoutait-il volontiers au grand ravissement de celle-ci.

Dans les années quatre-vingt, peu de femmes étaient aux commandes. L'équilibre vie professionnelle et vie familiale n'était pas un sujet d'actualité et le peu de femmes occupant des postes à haute responsabilité assumaient leur double vie en silence. Quand quelqu'un s'étonnait de l'absence de femmes au Comité de direction ou en tant que Directeur régional, la réponse était toujours la même : Ce n'est pas un métier pour les femmes. Pour chaque poste, à chaque promotion il fallait – et quelquefois de nos jours il faut encore –, aller chercher des candidates en acceptant de s'entendre répondre : C'est un poste à risque. Comme si pour les hommes accéder à des responsabilités de haut niveau n'était pas aussi un défi. Nous savons pourtant que partout dans le monde, les hommes et les femmes ont besoin de figures inspirantes montrant les voies de la réussite. Nous savons aussi que valoriser des modèles féminins forts et indépendants motive et attire de nouveaux talents. Au début, les collaborateurs masculins, habitués à un management hiérarchique strict, sont déstabilisés d'entendre une femme leur dire, ce que seule une femme est capable d'avouer : J'ai beau être votre supérieur, c'est vous qui savez mieux que moi. Mais passé l'étonnement, c'est à l'usage tellement plus efficace pour tous.

Aussi, il est temps de franchir le pas, il est temps d'oser. Le changement de mentalité est à l'œuvre, porté par les nouvelles générations pour lesquelles l'égalité femme-homme n'est plus un objectif, mais une conviction, amenée à devenir une réalité quand ce n'est pas déjà le cas. Il est temps que notre monde accorde aux femmes la place qu'elles méritent, celle d'être aussi des leaders. Et si elles sont décrites comme des manageuses plus chaleureuses, tant mieux ! C'est la preuve que l'on peut à la fois être responsable, efficace et chaleureux.

On voit bien ici que l'idée n'est pas nouvelle. Pourtant, dans la France des années deux mille vingt, la classe politique, elle aussi, laisse encore trop de place à la misogynie. Certes, la loi a évolué et favorise maintenant l'égal accès des femmes et des hommes aux mandats électoraux et fonctions électives. De sorte que les femmes sont effectivement de plus en plus nombreuses sur la scène politique, accédant même jusqu'au perchoir de l'Assemblée nationale pour la première fois en juin 2022. Mais les stéréotypes autour du genre perdurent et une bonne partie des personnels politiques estime encore les hommes moins émotifs et plus enclins à suivre une logique raisonnable pour décider, alors que les femmes seraient bien plus sensibles et souvent un peu trop attentionnées. C'est ainsi qu'une trentaine d'années après que la France ait connu sa première Première Ministre (Édith Cresson en 1991), il reste encore des personnages politiques qui préfèrent payer des pénalités plutôt que laisser une femme prendre la place d'un député sortant. Toujours en ce début des années deux mille vingt, mais à l'échelle mondiale cette fois, un siège sur quatre seulement, est occupé par une femme dans les parlements nationaux. Dans ce même temps, sur 197 États reconnus dans le monde par l'Organisation des Nations Unies, à peine quatorze nations comptent 50 % de femmes ou plus au sein de leurs gouvernements. La France en fait partie depuis un peu plus d'une dizaine d'années déjà, même s'il est vrai qu'au sens strict, l'avantage reste aux hommes sur les plus gros portefeuilles ministériels.

Si, comme nous venons de le dire, la loi a évolué en faveur des femmes politiques, il est important de noter que celles-ci sont depuis longtemps victimes de violences. Par exemple en novembre 1974, lorsque Madame Simone Veil monte à la tribune pour défendre l'IVG, l'Assemblée nationale de l'époque, qui ne compte alors que neuf femmes, devient pour elle une arène. De même, en 1979 alors qu'elle se rendait à une réunion politique, Yvette Roudy, députée européenne soutenant la cause féministe d'alors, est agressée par un groupe d'hommes. Les femmes engagées en politique sont trop souvent, et depuis trop longtemps répétons-le, confrontées à de multiples agressions physiques, verbales, psychologiques ou sexuelles. D'ailleurs dans un rapport de 2022, le Haut Conseil à l'Égalité entre les femmes et les hommes relève des accords empêchant l'accès effectif des femmes à certains postes de pouvoir et propose d'y remédier par une revue des bonnes pratiques européennes, susceptibles d'inspirer les collectivités françaises.

Arrivé tout juste à l'heure, comme le train, Lionel qui n'aimait ni attendre, ni être en retard, se félicitait d'être parti en avance pour parcourir la vingtaine de kilomètres séparant sa maison de la gare. Posté sur le quai, il accueillit Ophélie d'un large sourire. Entre eux, ce n'était plus l'amour fou des gamins du début de leur histoire, mais un amour plus profond, moins ravageur. Certainement bien plus solide. Un constat qu'il aimait faire et refaire. Un constat qui lui plaisait, parce qu'il le rassurait.

Il n'y a qu'un travail autonome qui puisse assurer à la femme une authentique autonomie.

Simone de Beauvoir

3
La peur de trop en apprendre ?

Lionel et Ophélie se sont connus voilà bientôt sept ans, lors d'un long week-end de 14 juillet. Cette année-là, chacun avait rejoint ses proches en vacances au soleil de la Côte d'Azur, pressé par l'impérieux besoin de ne rien faire et surtout celui de se changer les idées. Ophélie sortait d'une liaison devenue difficile avec un garçon colérique et jaloux qu'elle ne supportait plus. Elle avait d'ailleurs eu du mal à lui faire entendre que le moment de la séparation était venu. Lionel quant à lui, venait tout juste de se désengager d'une aventure chaotique qu'il savait sans avenir, avec une collègue plus âgée que lui, que l'on qualifierait de nos jours de cougar. À l'époque l'appellation cougar n'existait pas, mais l'attrait que peuvent éprouver certaines femmes d'âge mûr pour de jeunes hommes a toujours existé. L'inverse aussi. Cet anglicisme, popularisé en France à partir de 2009 désigne une femme de 35 ans ou plus qui sort avec un homme d'au moins dix ans son cadet. Dérivé du nom d'un site de rencontres nord-américain, le mot cougar a été surutilisé quelque temps dans les séries télévisées, la publicité et les films. Il est maintenant moins usité.

Pour Lionel, avec Ophélie tout était différent de ce qu'il avait pu connaître avec d'autres femmes et l'avenir s'annonçait des plus souriant. Chacun avait immédiatement trouvé l'autre séduisant, découvrant en lui des choses qui d'ordinaire ne se voient pas au premier coup d'œil. Il était pour Ophélie, sans qu'elle puisse vraiment l'expliquer, tout ce qu'un homme a d'attirant. Elle était pour Lionel, sans qu'il sache vraiment pourquoi, rien de moins que la féminité personnifiée. À croire qu'à certains moments de la vie amoureuse, la disposition d'esprit dans laquelle on regarde l'autre peut nous le faire voir très exactement comme nous le souhaitons, comme nous l'espérons, comme nous le voulons, et surtout pas un seul instant autrement.

Ophélie était une petite femme blonde aux yeux verts avec de magnifiques cheveux mi-longs. Bien proportionnée, souriante et souvent moqueuse, elle respirait la joie de vivre. Fille d'un officier de marine et d'un médecin dermatologue, elle avait une sœur plus jeune de trois ans, Charlotte. Élevées en partie chez les Sœurs, Charlotte et Ophélie avaient suivi une éducation rigoureuse, plutôt soignée. Leur papa, issu d'une famille de catholiques pratiquants, résistant de la première heure, était l'un des premiers officiers français à avoir répondu à l'appel lancé le 18 juin 1940 par le général de Gaulle. Un message diffusé au lendemain de la signature de l'Armistice par le maréchal Pétain, alors chef d'une France déjà vaincue et bientôt occupée. Le père de Charlotte et Ophélie bien que souvent absent du fait de sa fonction de navigant, leur avait transmis le respect de la parole donnée et un courage à toute épreuve. De son côté, leur maman leur avait enseigné le bon équilibre dont elle faisait elle-même preuve en tant que médecin : stabilité et assurance entre, l'empathie pour mieux comprendre et l'analyse pour décider. Ophélie, après une licence de Droit se trouva admise, avec les honneurs du classement, à un concours national de cadre de la fonction publique. Contre toute attente, eu égard à ses origines et ses études elle vivait et pensait à gauche, mais avec l'intelligence d'accepter d'autres opinions. D'ailleurs, Ophélie avait bon caractère, même si elle ne manquait surtout pas de caractère.

Nous venons d'employer le vocable « empathie » pour qualifier toute la compassion de la maman d'Ophélie, en tant que médecin, envers les autres personnes. Précisons que ce mot, emprunté à la psychologie depuis le début du XXe siècle, s'entend comme la faculté à se mettre à la place d'autrui, pour percevoir ce qu'il ressent dans l'intention de mieux le comprendre et mieux se faire comprendre. Il s'agit donc d'une disposition d'esprit aussi bien sympathique que bienveillante et en conséquence, rares sont ceux et celles qui ne se prétendent pas empathiques. Probablement faut-il voir là le succès d'usage de ce nom commun féminin, depuis sa « découverte » relativement récente par le grand public. Au-delà de ces belles et bonnes intentions, une étude récente menée par des chercheurs de l'université de Cambridge atteste – au risque de relancer une certaine guerre des sexes – que les femmes présentent des niveaux d'empathie plus élevés que les hommes. Oui, désolé messieurs, les faits sont là, les femmes sont plus empathiques !

De son côté Lionel, journaliste indépendant, était un intellectuel aux idées de droite et au physique sportif. Fils d'un courtier en assurances et d'une infirmière libérale il avait un frère plus jeune, Quentin. Lionel était aussi l'heureux et fier papa d'une petite Amandine, maintenant élevée par sa maman, professeur d'italien à Nice. La stature d'athlète de Lionel, ses doux yeux noirs, sa voix calme et assurée avaient plu à Ophélie. Sa conversation avait fini de la séduire. Ce n'est qu'en se retrouvant en septembre à Paris qu'ils explorèrent vraiment à fond les choses de l'amour. Leurs trente-deux ans respectifs et leurs expériences amoureuses précédentes leur conféraient un avantage indéniable pour se compléter parfaitement dans ce domaine aussi. Une complémentarité qu'ils transformèrent vite et bien, en une grande et belle réussite. À chacune de leurs rencontres, Ophélie se retrouvait collée au plafond. À plusieurs reprises, elle avait éclaté en sanglots de plaisir, dans ses bras. La première fois, Lionel qui n'avait jamais eu le bonheur de connaître cela, s'en trouva tout chose. Il n'eut alors qu'un mot : Merci mon amour. Après quelques semaines d'un tel régime, aux vertus médicinales depuis longtemps reconnues, c'est Ophélie qui proposa à Lionel de venir s'installer chez lui. Depuis ils ne se sont presque plus quittés.

Pour le dîner du soir, Lionel avait préparé autant pour son plaisir que pour celui d'Ophélie, l'une de ses spécialités culinaires, La bourride de lotte à la Sétoise. Un poisson acheté directement chez un marin-pêcheur de la côte qu'il connaissait depuis des années, auprès duquel il s'était rendu la veille. Celui-là même qui se disait fier d'avoir en son temps spontanément milité pour la féminisation du métier, alors qu'à l'époque la question ne se posait même pas : Les filles n'allaient pas en mer, c'est tout ! disait-il. Ajoutant quelquefois : moi je trouvais ça injuste. Surtout qu'au tout début il y en avait qu'une seule à vouloir faire le métier, elle était bien décidée à embarquer sur le bateau, hérité de son père. Alors, pourquoi l'en empêcher ? complétait cet homme, depuis toujours placé à l'avant-garde de son temps. De fait, il aura fallu attendre qu'il y ait une femme dans la Marine Nationale, sur le porte-hélicoptères Jeanne d'Arc, pour que la première femme marin-pêcheur française puisse embarquer à son tour. Dans ce domaine aussi les choses ont changé. De nos jours, la féminisation touche l'ensemble des spécialités et secteurs professionnels. Au-delà de la simple mixité professionnelle, le développement de la féminisation des métiers met nécessairement en lumière de nombreux enjeux sociétaux, notamment : la discrimination à l'embauche ; l'évolution des carrières ; les inégalités salariales ; la pénibilité et aussi le harcèlement et la violence au travail. On a là de belles avancées en perspective en termes d'égalité des sexes. Surtout quand on sait d'où l'on vient.

En France, il y a à peine plus d'un demi-siècle, avant la loi de juillet 1965 portant Réforme des régimes matrimoniaux, une épouse ne pouvait pas avoir un emploi, ni un compte en banque, ni gérer et/ou transmettre librement ses biens sans l'autorisation de son mari. Il y a donc trois générations à peine, la femme en se mariant passait automatiquement de la tutelle du père à celle du mari.

Après le repas du soir pris à la chaleur d'un agréable feu de chêne, l'essence encore dominante de la forêt normande, le moment se fit propice aux confidences. C'est Ophélie qui commença, alors que

Lionel, qui sans l'avouer espérait ce moment depuis plusieurs jours, se fit tout attentif.

— *Tu sais Lionel, l'autre jour au ministère j'ai entendu la conversation de deux conseillers à propos de cet accident nucléaire qui s'est produit quelque part en Ukraine. Tu es au courant ?*

Lionel était forcément au courant, puisque le nuage radioactif se déplaçant au gré des vents sur l'Europe, le monde entier en entendait parler en boucle, matin, midi et soir.

Il est vrai que lorsqu'en 1981 le gouvernement a mis fin au monopole d'État sur la radio et la télédiffusion, les radios jusque-là dites pirates, subitement devenues des radios libres, se sont vite développées. Quelques années après est apparue France Info, la première station à ne diffuser que des infos en continu, entrecoupées de quelques micro-reportages répétitifs. Ce qui accentua la pratique, à l'époque déjà partiellement existante, de rabâchage des mêmes sujets à longueur de journée. Un peu plus tard encore, les chaînes TV se sont à leur tour multipliées, créant elles aussi des journaux d'info en continu. Depuis cette époque, de recrutements en développement et spécialisation, les effectifs de journalistes, animateurs, présentateurs, et aussi consultants ou commentateurs, en augmentant se sont naturellement féminisés. De plus, le métier ne supportant aucune approximation, la fonction compte depuis de grands professionnels, tant masculins que féminins, au look approprié. Notamment ceux de télé, dont quelques-uns sont devenus de véritables stars. Lionel, lui aussi journaliste, parfaitement rompu aux techniques de son métier, savait en outre qu'à l'inverse de ce que l'on entendait sur les ondes, rien ni personne ne maîtrisait l'immense panache radioactif consécutif à cet accident nucléaire. Il savait aussi qu'un ministre quel qu'il soit, ne tiendrait pas longtemps face à un sujet d'une telle importance, sans avoir à répondre aux questions des journalistes. Aussi Lionel ne s'étonna pas lorsqu'elle ajouta.

— *Ils ont dès à présent décidé que quoi qu'il arrive et quoi que l'on sache, chaque ministre assurera, et tous les autres avec, que la situation est sous contrôle.*

— *Sous contrôle ?*

— *Oui ! Même si personne n'en sait rien. Ce mensonge programmé me trouble. C'est trop lourd.*

— *Ophélie, je comprends à quel point ce secret, qui s'apparente à un mensonge d'État, est lourd à porter. Moi le premier je risque de me laisser envahir, maintenant que je sais.*

— *Oui ! c'est ce conseiller qui parle trop, s'exclama-t-elle soudainement.*

Bien que surpris, tant par la soudaineté de l'affirmation qu'elle venait de lancer, que par sa formulation des plus directes, qui revenait à désigner quasi nominativement celui qu'elle estimait responsable, Lionel s'empêchât de questionner plus loin Ophélie. Une retenue qui ne lui ressemblait pourtant pas. Une étrange réserve totalement inhabituelle chez lui, au point qu'il s'étonna lui-même et ne put y voir que la peur de trop en apprendre sur un sujet aussi sensible. Pire ! Lionel éprouvait un sentiment de culpabilité craignant d'inciter, malgré lui, Ophélie à lui confier des informations confidentielles.

— *Quoi qu'il en soit, tu as eu raison d'en parler. Tu ne pouvais pas garder un tel poids pour toi seule.*

— *C'est vrai quoi ? Ces Conseillers sont trop bavards. Je n'aime pas cette situation. Je n'ai pas le droit ni l'envie de trahir, et pourtant en parlant je trahis. Si je ne parle pas, ce n'est pas mieux, puisque je mens par omission. Me voilà coincée, piégée, dit Ophélie.*

— *Ce sont des choses qu'on ne peut pas garder trop longtemps que pour soi, mon Ophélie. Je me répète, tu as eu raison.*

— *Oui, peut-être. Pourtant je m'étais juré de ne pas t'embêter avec cette histoire.*

— *Tu ne m'embêtes pas, tu me fais confiance. C'est même flatteur pour moi. Quant au mensonge, le tien ou le leur, par omission ou pas, on peut facilement l'expliquer.*

— *Ah oui ? En tout cas, c'est un sacré mensonge ; et à des centaines de millions de gens à la fois.*

— *Justement, vu le nombre il valait mieux mentir.*

— *Ha bon.*

— *La peur de celles et ceux qui bien qu'avertis n'auraient pas pu se protéger, se serait avérée plus néfastes qu'une irradiation.*

Ophélie restait attentive.

— *On comprend facilement qu'il ne sera jamais question de déplacer la population française et encore moins celle européenne, au gré des caprices de la météo.*

— *Oui, c'est sûr. Il est vrai qu'avertir sans agir, n'aurait fait qu'aggraver la situation,* conclut-elle d'elle-même.

De faits, les autorités de l'époque avaient estimé plus prudent de ne rien dire, du moins en un premier temps, pour ne pas inquiéter dangereusement les populations. Les gouvernements de la plupart des pays européens avaient choisi de mentir par omission dans le souci d'éviter des départs précipités, des embouteillages monstres et d'autres bousculades et pénuries. Face à l'ampleur de la catastrophe, cette attitude n'était somme toute qu'une précaution et il n'y avait dans cette position ni négligence ni lâcheté. Au contraire, c'était une façon de garder la tête froide, qui n'empêchait en rien de suivre de près l'évolution des choses. Cela dit, oui, au sens strict Ophélie avait raison, un mensonge, même par omission ou par précaution, reste un mensonge. Et Lionel savait à quel point Ophélie n'aimait pas mentir.

Finalement, après en avoir beaucoup parlé, les craintes finirent par tomber comme elles étaient venues. Au fil des heures, il la vit se détendre et pensa que la précision technique l'emportait. Car même si elle ne résolvait rien du tout, son explication restait bien plus rassurante qu'une absence d'explication. Comme de plus le raisonnement tenu était tout à fait recevable, il devenait superflu de parler plus longtemps du nuage radioactif. Du moins pour ce soir.

Chez la femme plus que chez l'homme, la beauté intérieure vivifie celle du corps.

Victor Hugo

4
Ce jeune coq

— *Et toi, qu'as-tu écrit ? Dis-moi vite ? questionna Ophélie, subitement espiègle, enjouée et rayonnante, comme chaque fois que tout allait bien entre eux.*

— *J'n'y arrive pas ! lâchât-il dans un long soupir.*

— *Comment, tu n'y arrives pas ? Tu y es toujours arrivé, ce n'est pas aujourd'hui que tu vas caler. Tu as un passage à vide. Bon, et alors ? Ce n'est que le début, il te faut un temps de mise en situation. Tu n'as vraiment rien écrit ? Je te connais, toi, ne rien écrire, c'n'est pas possible.*

À cet instant, Lionel qui était sûr de bien la connaître se dit secrètement, pour son plus grand bonheur, j'ai la chance d'avoir à mes côtés une belle femme qui m'étonnera toujours.

— *Si, si. Une page en trois jours, tu parles… une histoire de… tiens le mieux c'est que tu lises. Je l'ai intitulé Disparitions, au pluriel, lui dit-il, en allant chercher un feuillet dans le secrétaire.*

Après trois minutes de lecture silencieuse pendant lesquelles il lui caressa d'abord les cheveux puis les épaules, puis les seins et le ventre sous son pull, Ophélie, qui s'était volontiers laissé faire, se tourna vers lui.

— *Pas mal le coup des fourmis. Moi qui te connais par cœur, je me doutais qu'une ruse s'annonçait. Avec toi, il ne pouvait pas en être autrement. Elle tient bien la route ton histoire.*

— *C'est déjà çà. Mais j'te répète qu'une seule historiette en trois jours ce n'est rien.*

— *Normal Lionel ! C'est la première. Cette histoire plaira. Tu vas en surprendre plus d'un avec cette affaire de fourmis. D'autant que tu laisses bien monter le suspens. C'est récréatif, étonnant, divertissant, je n'ai qu'une réserve, peut-être un peu long.*

— *Ça aussi c'est une question, combien de mots par histoire ? Faut-il ou pas une limite ? Je n'sais même pas ?*

— *Je crois qu'il n'y a pas de règle, tout dépend de l'histoire... Lionel, ce que l'on te demande, d'après ce que tu m'as expliqué, c'est d'étonner et distraire.*

— *Oui, c'est ça.*

— *Concentre-toi là-dessus. Ce n'est pas par hasard que ton texte sur les fourmis est réussi. Bon, tu as d'autres sujets en tête ?*

— *Oui ! Oui et non ! Peut-être l'histoire de quelqu'un qui exagère pour attirer l'attention, par exemple à l'occasion d'une démarche administrative.*

— *Simplement pour appeler les secours, dit-elle. Tu sais, à la façon du héros de la fable de La Fontaine, Le Garçon qui criait au loup. À force d'appeler inutilement au secours, on lasse tout le monde. Le jour où le danger est vraiment là, plus personne n'y croit.*

— *Oui, exagérer, pourquoi pas. Je pense aussi à un play-boy ou plutôt à un coureur de jupons. Soit caricatural, soit sérieux, je ne sais pas encore ; et aussi triste, voire pitoyable par son esprit collectionneur de conquêtes.*

— *Tu vois que tu ne manques pas d'idées.*

On pourrait appeler séducteur/séductrice-compulsive les personnes qui multiplient les conquêtes amoureuses. Probablement qu'à l'origine de l'addiction de ces personnages, tous veulent être au centre de l'attention, tous veulent qu'on les aime. Mais d'après le Bulletin,

Personality and Social Psychology, Sarah Hill et David Buss (Université du Texas), il existerait surtout chez les femmes, une clé expliquant cette attirance pour les coureurs de jupons. Ces dames et jeunes filles ne feraient que s'imiter, se copier les unes les autres, avec la même question en tête : Mais qu'est-ce qu'elles lui trouvent toutes à ce jeune coq ? Les Anglo-Saxons appellent ce phénomène, mate copying. Le raisonnement mené étant des plus simples : je vois une femme au bras d'un homme, séduite par lui, c'est donc qu'il constitue un bon partenaire. Je vais le choisir à mon tour. Une conduite pas si rare, semble-t-il.

— L'idée de la personne qui exagère pour attirer l'attention je ne sais pas comment l'exploiter. C'est comme le coureur de jupons, je ne sais pas comment commencer.

— Par quoi commencer ? Ah bon ! Nous revoilà empêtrés dans l'embarras du choix.

— Tu as raison Ophélie, je fais un choix et je m'y tiens.

— Voilà ! Et c'est pour quand toutes ces histoires ?

— Les premières mi-juin. Les parutions s'étaleront au fil des jours, en juillet et août.

— Je ne sais pas t'aider, mais pour les idées, oui. Je peux.

— C'est gentil.

— Mis à part, Les fourmis, on a des exemples, demanda-t-elle ?

— Pas que je sache, à vrai dire je n'ai pas cherché. Dis, mon Ophélie, maintenant que nous nous sommes tout dit, si nous nous occupons de nous ? lui dit-il en voulant l'embrasser.

— Attends Lionel, répondit-elle, en posant son joli doigt sur sa bouche. Je pense à la plume aiguë de Boris Vian. On sait que Vian utilisait à la perfection ce ton détaché qui irait bien à tes historiettes. Avant même sa célébrissime chanson, Le Déserteur, c'était déjà l'humour pince-sans-rire, l'absurde, les bons mots et la verve qui font que nous reconnaissons son style parmi cent.

— Ophélie, s'il te plaît, je ne vois pas ce que tu veux dire. Des Boris Vian il n'y en a qu'un par siècle et encore pas tous les siècles. Gardons les pieds sur terre.

— Je pensais seulement à un de ses premiers livres, dont le titre m'échappe. C'est en fait un petit recueil d'une dizaine de nouvelles. Tu ne vois pas ?

Lionel ne répondit pas. C'est qu'une très vilaine pensée venait de l'effleurer l'espace d'une demi-seconde : si en choisissant aussi soudainement de parler d'un des auteurs les plus significatifs de la littérature française, Ophélie avait cherché à le repousser ? Si tel était le cas, ce serait la première fois qu'elle se refuse. Et en plus en trichant. Non, ce n'était pas possible de la part d'Ophélie, se rassura-t-il bien vite.

Le recueil en question, lui aussi intitulé Les fourmis, Lionel le connaissait pour l'avoir étudié il y a longtemps, avec un prof passablement antimilitariste au sortir des guerres de décolonisation menées par la France dans les années cinquante et soixante, d'abord en Indochine puis en Algérie. Pourquoi ce titre ?

Dans son recueil de nouvelles ainsi intitulé, Boris Vian parle des fourmis comme étant celles qui parcourent les jambes d'un combattant qui ne peut plus bouger parce qu'il a marché sur une mine allemande à double déclic. Le pauvre soldat qui pose le pied sur cet engin de torture et de mort est sadiquement alerté par le premier déclic. Il sait alors que quoi qu'il fasse, rien ne pourra le sauver. Chez Vian, le combattant se sachant perdu se met à délirer. Ces textes écrits dans la jeunesse de l'écrivain nous plongent dans l'absurdité militaire absolue. On peut par exemple lire : […] On est arrivés ce matin sur la plage et on n'a pas été bien reçus. Il n'y avait personne, que des tas de types morts ou des tas de morceaux de types […] Il venait des balles d'un peu partout […] Je n'aime pas ce désordre pour le plaisir […]. Ces quelques nouvelles sont originales, mais ne se situent pas pour autant à la hauteur des chefs-d'œuvre de Boris Vian que sont, L'arrache-cœur, J'irai cracher sur vos tombes ou encore L'écume des jours. Ce dernier roman, considéré par beaucoup comme un comte, étant classé à la dixième place des cent meilleurs livres français du XXe siècle[1]. Dans, Les fourmis, certaines nouvelles pêchent un peu par la faiblesse de l'intérêt dramatique ; à l'inverse, d'autres recèlent de vrais bijoux : J'ai mis les morceaux de sa tête dans son casque et je les lui ai donnés pour qu'il aille se faire soigner. Mais je crains qu'il ait pris la mauvaise direction, car […].

— *Oui Ophélie je connais* Les fourmis, *de Boris Vian. Pour tout dire, j'y pensais lorsque j'ai écrit ce que tu viens de lire. Tu sais je n'ai vraiment pas cherché à me mesurer à lui, ce serait déplacé.*
— *Déplacé ?*
— *Absolument ! J'ai juste voulu approcher ce ton absurde, moqueur et à la fois presque vraisemblable. Ce ton irréel et simultanément à deux doigts d'être vrai. C'est flatteur pour moi que tu aies fait ce rapprochement, mais je ne peux guère aller plus loin.*
— *Pourquoi ?*
— *D'abord, nos fourmis ne sont pas les mêmes, nos histoires n'ont rien à voir l'une avec l'autre et surtout je suis loin d'être Vian.*
— *N'empêche que trouver un autre sujet à traiter avec le même détachement ce n'est pas insurmontable.*
— *Je suis loin d'avoir son talent, sa créativité, sa verve ni d'ailleurs quoi que ce soit de comparable.*
— *Tu peux encore essayer, tu y es bien arrivé pour les fourmis.*
— *Je verrai, mais pas ce soir, j'ai autre chose en tête. Tu sais que tu me manques, mon Ophélie. Ça fait une éternité que je ne t'ai pas serrée très fort dans mes bras.*

Ce soir-là, elle lui céda plus par lassitude que par sensualité. Lionel le sentit, s'étonnant sans le dire qu'en la circonstance Ophélie,

---

[1]. Classement des 100 meilleurs livres français du XXe siècle, établi en octobre 1999 par la Fnac et Le Monde.

d'ordinaire tant participative, restât étrangement passive, ne se laissant pas aller, mais se bornant à consentir. Lionel s'était probablement montré maladroit, il n'avait pas su voir que le moment n'était pas le bon. Ophélie n'avait pas su ou pas voulu ou pas pu lâcher-prise, pas pu s'abandonner. S'ils en avaient parlé à un sexologue, celui-ci leur aurait probablement prodigué quelques conseils : D'abord et avant tout, communiquez pour harmoniser votre relation. Caressez-vous mutuellement. Les caresses, effleurements et massages vous détendront. Explorez votre corps et le sien, au plus vous vous connaîtrez, au mieux vous lâcherez-prise et vous vous abandonnerez l'un à l'autre. N'ayez honte de rien, livrez vos fantasmes. Continuez à communiquer sur vos sensations pendant le rapport lui-même. Pensez à ce que ressent votre partenaire. Oubliez les problèmes de la vie quotidienne. Oubliez l'idée de performance, mais montrez-vous créatif : sous la douche, en musique, dans la cuisine, devant un miroir, à la plage, dans la voiture… N'hésitez pas à casser la routine.

Dans un couple quand quelque chose ne va plus cela se sent assez vite. Justement depuis quelque temps il la sentait préoccupée, nerveuse, comme tourmentée par un souci ou un autre. À plusieurs reprises, elle n'avait pas ri des boutades qu'il lançait ni manifesté le désir de poursuivre un tête-à-tête ou autre moment d'intimité. Il y avait aussi ses absences, cette façon qu'avait épisodiquement Ophélie d'être présente sans être là. Tout ceci aurait dû l'interroger plus à fond, mais non. Lionel avait naïvement, et même un peu bêtement, choisi d'espérer dans les chaleureuses retrouvailles qu'il avait tenté d'organiser. Manque de chance, là non plus Ophélie n'était pas de la partie. Il n'eut alors d'autre option que de mettre cette retenue inhabituelle sur le compte de la fatigue.

Il y a dans le cœur d'une femme qui commence à aimer, un immense besoin de souffrir.

Charles Nodier

5
Le french kiss

Lorsqu'il ouvrit les yeux, le jour filtrait légèrement par les volets fermés, laissant passer juste assez de lumière pour y voir. Ophélie dormait comme un enfant, sans bruit, détendue. Sa main tenait encore le drap qu'elle avait ramené jusqu'à son épaule. Lionel se leva et s'en alla sur la pointe des pieds prendre un jus de fruits dans la cuisine. Puis il s'enferma dans la chambre du fond, celle qui lui servait de bureau. Là, au calme du petit matin il entreprit d'écrire un court dialogue qu'il intitulerait *Police* et dont il avait imaginé le déroulement dans la nuit, entre deux morceaux de sommeil.

Police

— Police nationale, bonjour ;

— Allo. Oui, voilà. J'entends rôder dans le jardin autour de chez moi. J'ai déjà été cambriolé il faudrait m'envoyer quelqu'un ;

— Désolé monsieur pour l'instant je n'ai pas d'équipe dispo, nous n'assurons que les urgences ;

— C'est une urgence ! Je suis âgé et seul. Si je téléphone, ce n'est pas pour rien. Il est minuit et j'ai déjà été cambriolé ;

— J'ai bien compris monsieur, mais je ne peux pas faire mieux. Votre porte et les volets sont fermés ?

— Oui, bien sûr !

— Donc, en principe vous ne risquez rien ;

— Vous êtes marrant vous, je ne risque rien, je ne risque rien… qu'en savez-vous ? Et puis c'est tout près du commissariat ;

— Monsieur soyez correct, s'il vous plaît.

— Jeune homme, je suis correct… mais je suis inquiet.

— Désolé, Monsieur. Je vais devoir mettre fin à cette conversation. J'ai un autre appel.

Dix minutes plus tard.

— Police nationale, bonjour.

— Oui re-bonjour ! Pour les rôdeurs, ce n'est plus la peine de vous déranger. Je suis sorti avec le fusil, l'un s'est enfui. Envoyez une ambulance pour les deux autres. C'est au 8 rue Carnot.

Encore dix minutes plus tard.

Deux ambulances, les pompiers et deux voitures de police sont sur les lieux.

Quand elle s'éveilla à son tour Ophélie comprit tout de suite que Lionel s'était déjà remis à écrire. Elle savait qu'à l'instar de la plupart de celles et ceux qui écrivent, Lionel assure écrire le mieux le matin tôt. Il est vrai que mis à part le bonheur de voir le jour se lever c'est au saut du lit que nous ne sommes pas encore encombrés par les tâches de la journée ; c'est aussi le matin tôt que l'on goûte au plaisir d'être seul dans la cuisine à préparer le café, sans pression et sans l'impression d'être déjà en retard. C'est encore tôt le matin que le cerveau s'échauffe tranquillement, c'est un moment de tête-à-tête avec soi-même. C'est donc le matin que l'on dispose de temps et de calme, deux valeurs indispensables pour bien faire les choses. Ophélie, une fois son déjeuner avalé, alla dire bonjour à Lionel. Lorsqu'elle entra dans la chambre du fond il n'écrivait pas, mais composait le numéro de téléphone de Brigitte, son ex, tout en se disant, nous sommes le premier mai, c'est un jour férié, il est neuf heures, avec un peu de chance je les trouverai en plein petit déjeuner. Elle s'approcha de lui et ils s'embrassèrent d'un baiser sur la bouche, qui n'avait rien d'un french kiss.

Dans la relation de couple, le baiser est un moment privilégié. En particulier le french kiss, ce baiser franchement sexuel, baptisé ainsi par les G.I. (Galvanized Iron), ces soldats US déployés en France durant la Seconde Guerre mondiale. Le french kiss consiste en une exploration mutuelle et variée des lèvres, de la langue et de la bouche du partenaire. D'une pratique des plus agréables quand il est bien fait, il produit également sur notre corps des effets inattendus : gymnastique de vingt-neuf muscles du visage ; accélération du rythme cardiaque ; baisse du taux de cholestérol et diminution du stress au profit de l'ocytocine, précisément connue comme étant l'hormone de l'amour. Le baiser est la seule activité sexuelle qui peut être pratiquée en public.

— *Salut, Brigitte, c'est Lionel. Je ne dérange pas ?*
— *Bonjour Lionel… C'est juste qu'on se prépare pour une sortie en bateau. Mais non ça va, je l'appelle. Ne la retiens pas trop. Dis, Lionel, vous avez du beau temps dans le Nord ?*
— *Brigitte, combien de fois je vais devoir te répéter que la côte normande ce n'est pas le Nord ? Eh bien oui ! Nous avons du beau temps. Nous avons aussi d'immenses plages et l'arrière-pays est idéal pour des vacances au calme, loin des plages méditerranéennes.*

À l'autre bout du fil, Brigitte ne se demanda même pas quelle mouche l'avait piqué. Sans répondre le moins du monde à la charge qu'il venait de mener, elle posa lentement le combiné et d'un ton égal appela sa fille. Pendant le silence qui suivit, Lionel se calma. Il regrettait déjà d'avoir rabroué Brigitte. Il se disait surtout combien c'était dur de n'avoir presque pas participé à la vie quotidienne d'Amandine. Lionel s'imagina en train de lui servir son petit déjeuner, de jouer avec elle, lui lire une histoire le soir. De l'aider aux devoirs et d'admirer les dessins qu'elle rapportait de l'école.

Longtemps considérée comme une prérogative des mères, l'éducation des enfants est désormais reconnue – au minimum dans les intentions –, comme relevant des deux parents. Dans les faits, la répartition reste inégale puisque la contribution paternelle est évaluée au quart du temps total seulement, pour les couples ayant au moins un enfant de moins de seize ans. Probablement faut-il voir ici une question d'inertie, les habitudes sont prises et perdurent. En revanche, les hommes s'investissent plus dans l'organisation des loisirs de leurs enfants. Pour l'instant, ni la crise sanitaire, ni celle sociale, ni les nouvelles façons de travailler (numérisation, télétravail) n'ont impacté cette répartition, qui n'est qu'une moyenne avec toutes les précautions d'interprétation que cela suppose.

Comme Amandine tardait à venir lui parler, l'image du jour où il avait connu Brigitte remonta d'elle-même à sa mémoire. Lionel avait été amené à l'interviewer alors qu'il était stagiaire d'un mensuel régional, pendant ses études à l'École de journalisme. Il s'agissait d'une enquête sur les motivations qui poussent vers le métier de prof, auquel elle se préparait. Une étude à laquelle il avait participé, et qui incluait les positions sur l'enseignement au bénéfice des femmes, prises par les décideurs historiques, au fil du temps. Sur cette liste, les premiers points de vue peuvent s'avérer choquants, surtout si l'on oublie qu'ils ont cinq siècles. Les positions et avis avancés forment ensuite un lent et long continuum de progrès. En voici un aperçu.

Au XVe siècle, le Chancelier de l'Université de Paris déclare : Tout enseignement pour les femmes est suspect. Un siècle plus tard, Diderot affirme que la subordination de la femme à l'homme est une tyrannie. En réaction, Rousseau postule, ce sexe ne peut pas prétendre à l'égalité, surtout en éducation. En 1808, en France les filles et les femmes sont interdites dans l'enceinte des lycées. En 1850, les communes, à partir de 800 habitants, doivent ouvrir une école de filles. Dès 1882, la loi reconnaît l'égalité des sexes devant l'instruction. À partir de 1924, les programmes filles et garçons sont uniformisés. En 1938, les femmes peuvent s'inscrire à la faculté. Enfin, en 1989, la loi rappelle la mission de mixité et d'égalité de l'enseignement. Depuis, l'enseignement favorise l'égalité entre femmes et hommes.

Brigitte, d'une énergie débordante, bouillonnante de féminité, de vie et d'idées, à chaque question comme à chaque relance de l'élève-journaliste qui l'interviewait, d'un geste machinal rejetait en arrière ses lourds cheveux bruns.

La chevelure d'une femme, symbole de féminité, de douceur et de puissance affective est en même temps chargée d'une solide dimension érotique. Si à en croire la symbolique populaire, une femme aux cheveux relâchés serait manifestement à la recherche d'un partenaire, les femmes auxquelles on pose la question voient surtout dans cette tenue l'expression de leur désir d'exister pleinement en tant que femmes libres. De fait, une crinière blonde, brune ou rousse est partie intégrante et valorisante de la silhouette de la femme. Aussi ces dernières accordent-elles de l'importance aux soins capillaires. Sans compter qu'une belle chevelure est signe de bonne santé. Le geste de Brigitte, bien que machinal, n'en était pas moins d'une extrême sensualité. Une coquetterie qui n'avait pas échappé au jeune homme qu'était Lionel.

Par la suite les circonstances s'y prêtant, ils avaient beaucoup dansé et surtout beaucoup flirté sur Moon River et quelques autres morceaux mythiques, aux harmonies d'une plénitude rarement égalée, avant de se laisser tous deux enivrer par les volutes de leur amour total.

La femme est le rayon de la lumière divine.

Djalâl ad-Dîn Rûmî

6
Sans toi tout est vide

— *Papa !*

— *Bonjour ma grande.*

— *Papa, j'ai mis un peu de temps à venir, je me brossais les dents. Maman dit qu'on ne peut pas parler longtemps, on va partir faire du bateau.*

— *Oui, ma puce. Dis à maman de te prendre un pull, en mer il peut faire frais même par grand soleil.*

— *J'en ai un avec la carte d'une île au trésor. J'ai aussi une casquette avec une large visière.*

— *C'est bien tout ça, je suis content pour toi. Te voilà bien équipée.*

— *Papa, à l'école on a une récompense quand on a lu trois livres et qu'on en a fait le résumé. Eh bien je l'ai eue.*

— *Formidable, ma fille. Et c'est quoi cette récompense ?*

— *Justement, comme j'avais le choix j'ai pris la casquette dit-elle en riant, satisfaite de lui avoir fait une blague. Dis papa, maman me fait signe, on est en retard. Il faut que j'y aille.*

— *Je t'embrasse très fort, ma chérie. Bonne sortie en mer.*

— *Moi aussi je t'embrasse. Au revoir mon papa.*

Ophélie qui d'ordinaire disait un mot gentil à Amandine n'en avait pas eu le temps. À l'inverse, pendant la brève conversation téléphonique entre Lionel et sa fille, elle avait lu la nouvelle histoire qui était encore sur la machine à écrire portative de Lionel. L'un des derniers modèles fabriqués, une Olympia 1977, la même année qu'Amandine.

C'est après la Première Guerre mondiale (1914 – 1918) que l'usage de la machine à écrire s'est développé, en même temps que la sténographie qui est une technique d'écriture rapide à l'aide de signes. En conséquence, la fonction de secrétaire s'est élargie. Celles-ci et ceux-ci se mirent à noter en temps réel – par sténographie –, le courrier que leur dictait leur patron pour ensuite le retranscrire en bon français en tapant (en saisissant) le texte sur leur machine à écrire. Rapidement, l'emploi de Secrétaire-Sténodactylo est entré dans l'imaginaire collectif. Ce travail devenant un métier recherché presque exclusivement par des jeunes filles ayant suivi une formation complémentaire après leur réussite au Certificat d'Études. D'où l'appellation de « Cours Complémentaire », qui amenait à une situation enviable pour l'époque.

Ophélie lança la conversation sur ce qu'elle venait de lire.

— *Cette nouvelle historiette est tout aussi originale que la première, elle devrait plaire.*
— *Tu trouves ?*
— *Oui. C'est presque une blague, mais bien enlevé et surtout totalement vraisemblable de la part d'un vieux monsieur habile, exaspéré et peu délicat pour défendre ses intérêts.*
— *Tu es sûre ? Je te sens hésitante.*
— *Non, ce n'est pas çà. Je réfléchissais. Ton histoire me rappelle quelque chose… je ne sais plus quoi…*

Après un instant, elle reprit.

— *Si ! Ça y est, j'y suis. Je me souviens. Ton histoire de police me fait penser à celle de monsieur Dereudre tout simplement parce que les deux ne sont que provocation à l'état pur. Tu vas comprendre.*

Monsieur Dereudre, donc, un voisin devenu au fil des ans ami de Papa, était chef de Centre dans je ne sais plus quel organisme. Il se trouve que dans ces années-là, notre chef de centre avait du mal à obtenir de sa direction les crédits nécessaires à certains travaux. Or, un jour où le directeur général était en visite dans l'établissement, on ne sait quelle mouche piqua monsieur Dereudre qui, n'écoutant que son courage, ou plutôt n'écoutant que son inconséquence, se surprit lui-même à provoquer le directeur général en se plaignant du manque de moyens. Le directeur lui fit alors une mémorable réponse d'Énarque, qui fut à peu près celle-ci : Monsieur, il est des choses que nous ne savons pas faire ; d'autres que nous faisons couramment ; d'autres prioritaires. La sécurité est de ces dernières. Personne n'a jamais su pourquoi le directeur général avait parlé de sécurité. Peut-être à raison, peut-être pas ? Quoi qu'il en soit, dans le trimestre qui suivit les travaux furent totalement terminés et à l'occasion d'une rapide promotion notre ami le chef de centre, se retrouva « placardisé ».

La « placardisation », terme argotique entré dans le langage courant, consiste en une sanction indirecte. Le salarié, la salariée se voit confier des tâches en deçà de ses capacités, en deçà de son statut. Il est en quelque sorte ostracisé. Dans la plupart des cas, l'objectif inavoué de cette mise à l'écart, progressive ou brutale, est de pousser l'employé vers la sortie. C'est une forme illégale de bannissement qui s'apparente à du harcèlement. Il est arrivé que cette façon de se voir indiquer la porte touche des femmes reprenant leur travail après une longue absence, comme un congé de maternité, par exemple.

— *Comme disait papa, cette anecdote nous enseigne que certains décideurs préfèrent la docilité stérile de collaborateurs soumis, au professionnalisme de certains rebelles. Certes, par définition critiques, mais efficace dans leur travail ajouta encore Ophélie.*
— *C'est tout de même curieux de préférer la tranquillité à l'efficacité. Surtout dans le travail.*
— *Oui, mais c'est, paraît-il, humain… va savoir.*

— *On la débute en flèche cette journée, s'exclama Lionel. Il n'est pas neuf heures et voilà que l'on philosophe déjà. Il est vrai, on philosophe à peu près comme au café du commerce. N'empêche, c'est un peu rapide pour moi.*

— *Tu es mal réveillé, c'est tout.*

— *Je vais plutôt m'occuper du jardin. Faire des choses simples en essayant de ne penser à rien. Tiens voilà, j'ai trouvé ce qu'il me faut, je vais couper du bois.*

— *Tu as raison, rétorqua Ophélie, coupe du bois. Tu ne viens pas assez à la campagne et tu ne profites pas assez de cette maison. Elle a été drôlement sympa ta Tante Berthe en te la laissant.*

— *En « NOUS » la laissant, tu veux dire. Tu es trop rarement ici Ophélie, tu devrais me rejoindre plus souvent. Ici sans toi tout est vide.*

Elle ne répondit pas.

C'était une maison de quatre pièces, dont un immense salon où trônait une belle cheminée. Avec trois chambres spacieuses, une cuisine et deux salles d'eau bien équipées. S'ajoutaient une grande terrasse et une sorte de grange attenante, suffisamment vaste pour servir à la fois de garage, d'atelier, de débarras, de cellier et de buanderie. Le tout au calme. À deux kilomètres seulement d'un beau village de pur charme normand, encore animé dans les années quatre-vingt. L'ensemble sur un terrain bordé d'une rivière, mais pas une seule fois inondé. Cette maison grouillante de souvenirs, c'était aussi et surtout la plus chaleureuse période de son enfance. C'est dans cette maison, dans les environs de celle-ci et au village tout proche que Lionel avait ses plus plaisants souvenirs d'amourettes adolescentes et de soirées quelquefois dévergondées. Comme cette nuit de juillet où il s'en était pris à un… aspirateur !

Au milieu des années soixante, le café de village tenait encore un rôle important. Aussi lorsque madame Bruneau, la patronne, refusa de lui vendre un paquet de « P4 »[2], un jour d'affluence, en lui disant sans aucune discrétion qu'il n'était encore qu'un gamin et qu'il ne devait pas fumer. Lionel qui venait d'avoir quatorze ans se trouva fort vexé. Une fois froissé l'adolescent, d'ordinaire sage, n'en éprouva pas moins le besoin de riposter. D'autant qu'à l'époque les ravages du tabagisme n'étaient pas décriés comme de nos jours et personne ne respectait l'interdiction de vente aux mineurs. Depuis grâce aux efforts de tous, la lutte antitabac s'est améliorée même si elle reste insuffisante. Pour preuve le tabagisme féminin qui de nos jours, et contre toute attente progresse encore auprès des jeunes femmes, chez qui la cigarette conserve une image malheureusement valorisante. C'est ainsi que les jeunes fumeuses, qui étaient 10 % dans les années soixante, frisent les 30 % en 2023. Conséquence directe, outre les dégâts que le tabac peut occasionner à l'occasion des grossesses, il provoque de plus en plus de maladies graves comme des cancers ou des infarctus. Dans le même temps, la Bronchopneumopathie Chronique Obstructive (BPCO) se féminise et les fumeuses sont devenues, parmi les femmes dépressives, celles qui présentent le plus d'idées suicidaires. En outre du fait de l'association tabac et pilule, leur risque d'infarctus et multiplié par trente. Sans oublier leur teint terne, leur peau ridée, leurs gencives et dents abîmées et un certain essoufflement.

Dès la semaine suivante, un soir d'été où il n'avait pas grand-chose à faire, Lionel toujours autant vexé, proposa à ses deux copains du moment comme une plaisanterie et un divertissement à la fois, de démonter en mille pièces l'aspirateur tout neuf (probablement le premier du village), dont madame Bruneau était si fière. La configuration des lieux leur facilita grandement la tâche de mise à mal de l'aspirateur de la patronne.

---

[2]. Dans les années soixante on appelait P4 le paquet de quatre cigarettes (de tabac brun) vendues 18 centimes de francs

Derrière le bâtiment principal, au rez-de-chaussée duquel se trouvait le Café-Tabac de l'hôtel moderne, il y avait une grande cour sombre servant de parking aux habitués motorisés. Au fond de cette cour, une remise jamais fermée à clé servait de débarras. C'est là, dans cette grande resserre, au calme de la nuit et à la lueur d'une lampe de poche, que pendant que l'un des trois larrons faisait le guet, les deux autres démontèrent rapidement, mais vis après vis tout de même, l'aspirateur tout neuf de madame Bruneau. Comme à l'époque un tel appareil comptait au bas mot une quarantaine de pièces et trois fois plus de vis, autant dire que même un expert aurait pris du temps à le remonter. L'affaire de l'aspirateur de madame Bruneau eut vite fait le tour du canton. Mais le garde champêtre, l'un des fidèles clients du café, bien que chargé d'enquêter sur l'insistance de madame Bruneau elle-même, ne trouva jamais les coupables. Le temps s'est écoulé, mais il arrive encore à Ginette Bruneau d'évoquer auprès des plus anciens clients, la perte de son aspirateur dans d'aussi troublantes circonstances. Un regret que l'on comprend d'autant mieux lorsque l'on sait qu'à partir des années 1950, les équipements électroménagers facilitant le quotidien ont largement été mis en avant par la publicité, à l'intention quasi exclusive des femmes. La ménagère française été devenue, La fée du logis. Son dévouement se mesurant à la propreté de son intérieur et à son aptitude à cuisiner et satisfaire son époux. Un travail intense, prenant, non rémunéré, souvent subi. On avait là une vision profondément machiste du ménage français, créant et renforçant l'inégalité dans le couple. Cette situation inscrite dans le temps a eu pour effet l'appauvrissement intellectuel de la femme, son acclimatation à l'absence de vie culturelle et son accoutumance à une vie sexuelle routinière, avant que se développent, à partir du début des années 1970, le féminisme et l'émancipation des femmes.

*La femme est sans doute une lumière, un regard, une invitation ;
mais elle est surtout une harmonie générale.*

Charles de Baudelaire

7
Jupe ou pantalon ?

— *Lionel, pendant que tu coupes ton bois, je vais apporter ses chocolats à la mère Antoine. Je prendrai du miel et des œufs.*

Ophélie ajouta, se parlant à haute voix.

— *J'y vais à pied ou à vélo ? À vélo, je serai plus à l'aise si j'enfile un pantalon. Allez hop, je me change.*
— *Je te préfère en jupe, Ophélie, d'autant que tu as de belles jambes. Je t'aime aussi en pantalon, mais je préfère la jupe.*
— *Oui, je sais, mais je te l'ai déjà dit trente-six fois, ici la jupe n'est pas commode. D'ailleurs, il n'y a pas qu'à la campagne, je pense qu'un jour viendra où les femmes seront toutes en pantalon, dit Ophélie, avec conviction.*
— *Je ne suis pas pressé de voir ce jour-là, rétorqua Lionel. C'est tellement plus féminin, plus émouvant une jupe. Quand je pense que la génération de nos parents voyait une révolution dans le port du pantalon par les femmes.*
— *Oui, c'est vrai. D'ailleurs, la plupart des femmes de cette époque n'ont jamais osé porter un pantalon. Mais voilà, tout change et nous nous y mettons de plus en plus.*
— *Vous serez passé d'un extrême à l'autre en moins de deux générations. C'est un changement rapide pour une habitude tout de même ancestrale.*

Il disait vrai. Dans la vie courante du début des années 1960, seules quelques actrices américaines portaient le pantalon. D'ailleurs à cette époque en Europe, une femme en pantalon, même de coupe très classique, était interdite d'entrée dans une soirée mondaine ou dans un restaurant chic. Avant mai 1968, en portant un pantalon la femme commettait un acte politiquement engagé, défendant l'égalité des sexes et l'émancipation des femmes. Le pantalon au féminin symbolisait alors la femme active accédant aux études supérieures et n'entendant plus se contenter de rester au foyer. Après 68, les choses sont allées vite. La mixité est rapidement devenue une valeur et l'unisexe a connu son heure de gloire au travers du port de jeans et de tee-shirts par les femmes comme les hommes. Rapidement, le port du pantalon par les femmes a lui aussi connu la gloire, qui depuis ne l'a plus quitté.

— *Ah bon, c'est émouvant une jupe ? Je ne vois pas en quoi une jupe peut émouvoir, interrogea-t-elle.*

— *Parmi les vêtements, la jupe est « LE » symbole de féminité. Un symbole plein de promesses. Une jupe met en valeur la jambe de la femme, elle laisse entrevoir juste ce qui peut être vu, tout en préservant l'espoir d'un peu plus.*

— *Ah ! C'est ainsi que tu vois les choses ? Pas très classe ton point de vue.*

— *Une jupe balance, batifole, chatoie, flotte, frôle, ondoie, papillonne, tournicote, tournoie, vibrionne. Et j'allais oublier, une jupe virevolte !*

— *C'est tout, tu n'oublies rien cette fois ?*

— *Si, si, peut-être le plus important. Avec la jupe, plus que jamais les femmes affichent et assument leur féminité. Et si ma compagne, s'emporta avec véhémence, fougue et exaltation Lionel, m'offre la surprise de passer une jupe en oubliant de mettre sa culotte, alors la promesse implicite qu'elle me fait devient le plus érotique des secrets partagés. Dis, tu te souviens Ophélie ?*

— Oui, je me souviens. Il n'empêche qu'un pantalon bien taillé peut aussi mettre en valeur un joli fessier, surtout sur un string.

— Le string c'est bien ce slip qui laisse les fesses entièrement découvertes, interrogea Lionel ?

— Oui, il fait de plus en plus d'adeptes et se porte maintenant sous le pantalon, ce qui met les fesses en valeur. C'est une bonne nouvelle pour toi, non ? lança-t-elle d'un ton moqueur.

S'il est vrai que le string, l'un des plus anciens vêtements qui n'ait jamais existé, est devenu de nos jours plus un objet de séduction qu'un sous-vêtement, il n'est pas étonnant qu'à cette époque Lionel l'ait mal connu. Cette sorte de cache-sexe porté depuis presque toujours par de nombreux peuples primitifs, et que certains portent encore, n'a connu ses premiers succès modernes que dans le début des années 1980. C'est surtout pour des raisons esthétiques qu'il est alors réapparu, dans les collections de lingerie. Il s'agissait d'estomper la marque de la culotte, visible sous les pantalons serrés portés par les mannequins lors des défilés de mode. Dans la foulée, une minorité d'Européennes ont alors osé porter un string et surtout se sont débrouillées pour le faire savoir d'une façon ou d'une autre. Au fil des ans, la place du string s'est alors accrue sans pour autant détrôner à aucun moment les slips et autres culottes restés utiles. Mais ce sont les Brésiliennes qui ont fait preuve d'un véritable engouement pour ce sous-vêtement, notamment en tant que maillot de bain. D'où l'appellation de maillot de bain brésilien.

— Ma foi, dit Lionel, puisque tu me dis que le string est devenu un objet de séduction, je ne demande qu'à être séduit. N'empêche, c'est tout de même sous les jupes des filles que réside le mystère.

— Quel mystère, Lionel ?

— Je ne sais pas encore, mais il doit bien y en avoir un, dit-il dans un sourire taquin. Et au risque de me répéter, je veux dire que de tous les vêtements féminins, la jupe est certainement celui qui souligne au mieux la féminité.

— *Pour ça, il n'y a pas que la jupe.*

— *Non, c'est vrai, il n'y a pas que la jupe. Évidemment que la tendre gorge d'une femme logée dans le noir d'un corsage strict, en équilibre entre abandon et refus, est aussi séduisante. Bien sûr que, comme tu viens de le dire, le rebondi d'un beau fessier gainé dans un pantalon moulant est joli et même, pour tout dire, ne peut qu'attirer l'œil. Il reste qu'à mon goût, de tous la jupe l'emporte.*

— *Lionel, je crois que tu deviens un peu dingo, dit Ophélie en haussant ses belles épaules. D'ailleurs ton vieux fantasme de la jupe sans culotte ça a un côté prêt à l'emploi qui ne m'emballe plus trop.*

— *Dommage, conclut Lionel. Choisissant de ne pas poursuivre face à cette soudaine rigueur morale.*

Oui, mais voilà.

Nous savions déjà que la liberté de mouvement des femmes peut être restreinte par des lois et nous savions que la jupe n'est pas toujours commode à porter au travail. Ajoutons que l'autonomie d'action des femmes peut aussi se trouver entravée par nos attitudes. Par exemple, la peur de se faire siffler ou chahuter ou carrément agresser dans la rue peut obliger une personne à des stratégies d'évitement. Soit en modifiant sa tenue vestimentaire (minijupe / jupe / pantalon / tunique), soit en ne relâchant plus ses cheveux, soit en changeant de parcours ou d'horaires. De ce simple constat découle une inégalité supplémentaire : les femmes ne bénéficient pas de la même insouciance que les hommes lorsqu'elles se déplacent dans les rues de nos villes. Ceci au point qu'à en croire une étude datant du printemps 2023, quatre-vingts pour cent des femmes craignent de rentrer seules chez elles le soir, de peur d'une agression pour ne pas avoir répondu favorablement à des injonctions comme : « Donne-moi ton 06 » ou « T'as une cigarette » ? Ce qui a conduit le gouvernement français à lancer une campagne pour la distribution de cinq millions de flyers par les policiers et gendarmes. Ces tracts ont comme objectif de rappeler à chacune et chacun les gestes à avoir lorsqu'on est témoin ou victime d'une agression. Sur les réseaux sociaux, cette nouvelle action de prévention est jugée bienvenue, mais trop timide. Et ce n'est pas le fait qu'en 2023, pour la première fois en France, les personnels d'un Centre Commercial ont été formés à la protection des piétons et piétonne et sensibilisés à l'accueil des victimes de harcèlement, qui suffira à rétablir toute la sérénité attendue par les victimes potentielles. Dans le même ordre d'idée les Françaises qui jouent à des jeux vidéo en ligne, se disent victimes d'une forme de sexisme. Pas moins de quarante pour cent des gameuses dénoncent des comportements sexistes, des insultes, des menaces, des bruits d'animaux, des remarques sur leur physique. Face à ces violences, plus de la moitié d'entre elles adoptent une stratégie d'évitement, la plus courante étant de ne pas dire son sexe en espérant être tranquille.

Femmes, c'est vous qui tenez dans vos mains le salut du monde.

Léon Tolstoï

8
La mère Antoine

La mère Antoine était leur voisine la plus proche, de l'autre côté d'un grand verger qu'en été Ophélie aimait traverser à pied. Cette brave dame n'avait plus d'âge et pourtant elle n'avait connu ni le cinéma, ni la télévision, ni aucune des nombreuses modernités apparues au cours de son siècle. Toutes ces innovations qui à peine connues, nous deviennent indispensables. Pour la mère Antoine, une cuisinière ne brûlait forcément que du bois, ne servait qu'à cuire des aliments et accessoirement ne chauffait qu'une pièce, la cuisine. S'il est vrai que chez elle l'éclairage était depuis quelque temps électrique, il n'existait ni chauffe-eau, ni frigo, ni radio. Quant au téléphone, pour madame Antoine il était tout juste inventé, mais pas fait pour elle malgré son isolement. Bien évidemment dans le monde de madame Antoine on ne se déplaçait qu'à pied ou à vélo, ou on ne se déplaçait pas. Les animaux de la basse-cour étaient exclusivement nourris de produits naturels et aucun médicament n'avait jamais passé le seuil de sa chaumière. Seule concession faite à ce qui était pour elle la pointe de la modernité : le facteur. Monsieur Louis apportait chaque jour le journal local, Paris-Normandie et en plus le mardi, Les Veillées des chaumières. Une publication alors connue pour ses romans-feuilletons et ses articles à coloration culturelle.

Originaire du Val d'Aoste, en Italie du Nord, la mère Antoine s'était fixé en France, vers 1920, après s'être trouvée une dizaine d'années au service de l'une de ces comtesses italiennes de l'époque, suffisamment fortunées pour passer leur temps à parcourir le monde, flanquées de tout leur personnel de maison. Depuis longtemps, Tata-Antoine, comme l'appelaient avec attachement les anciens du village, ne parlait plus de cette époque. On savait qu'elle avait connu autant New York que Moscou que d'autres capitales. On savait qu'elle avait voyagé sur les plus modernes *Liners* de l'époque. C'est à peu près tout ce que l'on savait de son périple dans ce monde maintenant disparu.

Veuve depuis presque toujours d'un maçon italien dont elle portait résolument le prénom, au point que personne n'a jamais su le sien, la mère Antoine vivait depuis un temps immémorial avec ses poules, ses lapins et ses abeilles pour seule famille. Elle avait parlé un jour à Ophélie de son frère, Angelo. Vers ses quatorze ans, pendant que d'autres jeunes Italiens de l'époque partaient bâtir New York, Angelo avait choisi la France pour y être maçon. Peu d'années après son arrivée, pressé de défendre sa nouvelle patrie, il avait triché sur son âge pour s'engager. En avril 1917, après une dizaine de semaines d'instruction militaire, son régiment était monté en ligne. Immédiatement jetés dans cette bataille vorace en chair fraîche, capitaine en tête, ils avaient reçu l'ordre de sortir de la tranchée au coup de sifflet, pour partir à l'assaut face à des mitrailleuses lourdes. En moins de cinq minutes, plus de la moitié étaient morts, tous les autres gravement blessés. C'était au début du printemps, Angelo venait d'avoir dix-huit ans. En évoquant cette tuerie parfaitement prévisible, mais froidement ordonnée, Tata-Antoine avait essuyé une larme, Ophélie avec.

Ophélie l'aimait plus que bien, la mère Antoine. Aussi elle ne manquait pas une occasion de lui rendre visite, même s'il est vrai que ses œufs et son miel à eux seuls justifiaient de toutes les façons le déplacement. Lionel aimait à penser qu'Ophélie se comportait comme la petite-fille que la mère Antoine regrettait de ne pas avoir eue. Et puis, passer un moment avec ce personnage c'était aussi se tenir au courant des potins du canton. C'était même quelquefois prendre des nouvelles du monde comme quand, il y a trois ou quatre ans, au tout début des années quatre-vingt, la mère Antoine fut étonnamment la première personne à parler à Ophélie de cette maladie alors inconnue qui ressemblait à la peste et dont souffrait le châtelain. Madame Antoine tenait l'information d'Armel, un autre personnage comme on n'en trouve que dans les romans. Un vieux garçon bavard comme plusieurs pies, travailleur comme Hercule, courageux, serviable et pétri de cette forme d'attitude hybride qui se situe entre religion et morale et que l'on appelle quelquefois le bon sens. Armel, donc, tenait du cuisinier du château, bien évidemment sous le sceau du secret qu'en grand bavard qu'il était, il s'était empressé de trahir plusieurs fois, cette information annonçant l'apparition d'une nouvelle peste. C'est ainsi que vers fin 1982 ou début 83 la mère Antoine parla à Ophélie pour la première fois des graves et inexplicables ennuis de santé du châtelain.

À cette époque, peu de gens étaient au courant de la maladie que l'on connaîtrait bientôt sous l'appellation de syndrome d'immunodéficience acquise ou SIDA. Mais pour « rustiques » qu'ils fussent, la mère Antoine et Armel, nantis de leur bon sens, avaient deviné le danger bien avant la plupart des gens de la ville. Sans le dire à aucun moment, sans peut-être vraiment le savoir ouvertement eux-mêmes, ils avaient compris que si faire l'amour devenait un risque mortel les adolescents auraient dorénavant du mal à réussir leur première fois. De même, les adultes veufs ou séparés auraient peut-être du mal à revivre une première fois réussie. La mère Antoine et Armel avaient compris spontanément que le SIDA en s'attaquant frontalement à l'amour poserait d'énormes questions sociétales.

C'est encore elle, la mère Antoine qui dans un domaine bien plus heureux, avait fait découvrir à Ophélie les sublimissimes chocolats dégraissés de Debauve & Gallais. Probablement parmi les meilleurs chocolats au monde. Elle tenait l'adresse de l'époque où encore jeune soubrette, elle allait en courses avec le chauffeur et le cuisinier de madame la comtesse, de passage à Paris. Ophélie se faisait un plaisir d'offrir de temps en temps un ballotin à Tata-Antoine qui appréciait toujours autant et le lui rendait bien. Elles les dégusteraient ensemble autour de l'une de ces anecdotes croustillantes que Tata-Antoine ne se lassait pas de raconter et Ophélie de redemander. Par exemple l'histoire qui avait couru dans la région au tout début des années 1950, à propos de ce marquis de l'un des bourgs voisins.

La voici, dans sa version courte.

Le marquis, expliquait Tante Antoine, possédait quelques terres autour de son manoir. Et bien évidemment, en vieux garçon confirmé le marquis craignait qu'une femme mette le grappin à la fois sur lui-même et sur ses biens. Mais le marquis n'en était pas moins un homme encore jeune, qu'à certains moments les tracas de l'amour venaient visiter. Comme notre marquis logeait son métayer dont l'une des filles restait célibataire, en application d'une convention jamais passée, mais toujours strictement respectée des deux parties, le marquis lorsqu'il souhaitait recevoir la visite de la fille du métayer, coupait l'alimentation électrique du logement mitoyen qu'occupaient les parents et leur fille. Tous comprenaient, et la jeune femme s'exécutait. Des parents qui de nos jours seraient inquiétés pour proxénétisme ou maltraitance ou quelque délit de la même sorte, mais qui, en leur temps, avaient trouvé commode de prostituer leur fille pour plaire au seigneur : Vas-y ma grande, tu dois passer à la casserole pour payer le loyer de papa et maman, concluait immanquablement Tata-Antoine.

Trouver un logement dans les grandes villes a toujours été un défi, notamment pour les travailleurs pauvres et les étudiantes et étudiants peu fortunés. La situation s'est encore aggravée avec l'enchaînement des crises financière et économique puis sociale et sanitaire les privant durablement de petits boulots. Que ce soit pour un studio, une colocation ou une chambre chez l'habitant, de nombreux demandeurs, parmi ceux et celles qui ont recours aux petites annonces, vont de très mauvaises surprises en graves déconvenues. Certains logeurs n'hésitant pas à profiter de la détresse des jeunes en proposant une habitation à loyer modéré ou à titre gracieux en échange, semble-t-il, de services sexuels. Les plus profiteurs vont jusqu'à refuser d'établir un contrat de location pour pouvoir mettre facilement à la porte leurs locataires récalcitrants. Les jeunes femmes sans alternative sont les premières victimes de ces exploiteurs ; les jeunes hommes n'étant pas pour autant à l'abri des propriétaires voyous. Souvent, les victimes de ces harceleurs, prises d'un sentiment de honte et de culpabilité, refusent de se confier à leurs proches ou d'opérer un signalement auprès des autorités.

On ne naît pas femme, on le devient.

Simone de Beauvoir

9
Oser le lâcher-prise

Ophélie était revenue de chez la mère Antoine avec du miel et des œufs comme prévu, ainsi que de magnifiques salades, des pommes du verger, de la compote maison et surtout une mission : se renseigner sur les caractéristiques et les prix des petites couveuses simples. Celles à retournement manuel. Comme quoi, même à pas d'âge il est encore possible d'avoir des projets, et Tata Antoine n'en manquait pas. Lionel la voyant venir son vélo débordant de marchandises s'avança vers elle. Arrivé à sa hauteur il n'eut pas le temps de prendre de ses nouvelles ni de celles de madame Antoine, Ophélie lança sans attendre.

— *En chemin je me disais que Tata Antoine on ne l'a jamais connue que veuve, âgée et en tenue des champs, mais à trente ans ce devait être une belle femme.*

— *Oui, certainement une belle brune, bien proportionnée et piquante comme je les aime.*

— *Petit Saligaud ! Tu cherches à me faire enrager. N'empêche que l'Antoine, son italien de mari, c'était un sacré macho. Elle m'a dit un jour qu'à l'époque où elle travaillait avec lui comme aide-maçon, elle n'avait aucun accès à l'argent.*

— *Ça t'étonne ?*

— *Elle m'a dit aussi que du premier au dernier jour, et quoi qu'il arrive, elle a dû s'occuper de son linge et mener seule toutes les autres tâches ménagères.*

— Oui, comme dans la plupart des couples de cette époque, ni plus ni moins. Il en est même chez qui la supériorité des hommes sur les femmes était une évidence. Une évidence même pas discutable, ni pour eux ni pour elles. Tiens, il me revient une anecdote sur la dureté des temps.

Depuis le matin tôt le père, la mère et les deux gamines sont au champ à ramasser des pommes de terre. Vers dix heures, la mère qui est enceinte sent la délivrance arriver. Elle s'en va seule vers la ferme, une chaumière située à l'écart du bourg. Un peu plus tard, son mari la rejoint et là, fier du garçon qu'il espérait tant, il autorise son épouse, qui vient d'accoucher seule, à ne pas revenir travailler l'après-midi. Lionel tirait cet incroyable récit du roman historique publié au début des années 1970 par Jean-Pierre Chabrol, Homme de lettres, Conteur. Une chronique historique dans laquelle l'auteur annonce qu'il livre tout ce qu'il a dans le ventre, Le Crève-Cévennes. L'histoire à peine croyable, que Chabrol raconte à la manière de Zola, se situe aux alentours de 1870, dans le monde rural de la chaîne montagneuse des Cévennes.

— Tu sais, Ophélie, il est possible qu'un jour la proposition soit inversée, les femmes exigeront beaucoup des hommes.
— Haha, très drôle ! Bien tenté, mais tu vas devoir trouver mieux si tu veux une réponse sur la supposée exigence des femmes.

Souvent, l'exigence envers les autres n'est que le reflet d'une grande exigence envers soi-même. En se fixant des objectifs trop ambitieux, l'exigeant, l'exigeante se ferme à de nombreuses occasions d'épanouissement. Ce qu'il ou elle recherche doit répondre à des critères si difficiles à satisfaire, qu'il ou qu'elle peut renoncer et préférer s'en priver. L'exigence devient un défaut quand elle pousse à l'inaction de peur de dévoiler des imperfections. Professionnellement, la personne exigeante épuise son entourage par son manque de naturel. Constamment sous contrôle, là aussi elle peut s'enfermer et enfermer les autres dans l'inaction par peur de l'échec. Sans aller jusqu'à balayer tous ses principes, la personne trop exigeante gagnera à tenter des compromis, à oser le lâcher-prise. Encore faut-il qu'elle ait l'intelligence de le comprendre et la volonté de s'y engager et s'y tenir.

Toujours à propos d'exigence, il se trouve que depuis une dizaine d'années aux USA, plus récemment en Angleterre, les statistiques font apparaître que les hommes hétérosexuels et « célibataires de longue durée », sont beaucoup plus nombreux dans le monde qu'il y a trente ans. Un constat qui soulève une question encore à débattre : ce boom des hommes célibataires de longue durée est-il le résultat de leur soif de liberté ou celui du refus de se plier aux exigences des femmes ? À moins que le célibat prolongé des hommes, qui augmente aussi chez les femmes, mais moins vite, ne soit lié autant pour elles que pour eux, à la peur de l'engagement ou à un manque de confiance en soi ou à la difficulté à trouver des personnes compatibles.

Et d'abord, qui sont les protagonistes ?

Lui, il a la quarantaine ; un travail valorisant qui lui plaît ; des amis et des amies ; il est sociable ; on le trouve charmant et ses aventures sexuelles le satisfont. Il dit avoir essayé la vie en couple et avoir eu le sentiment de beaucoup sacrifier, sans pour autant satisfaire les exigences de sa partenaire. Il se remettra en couple que s'il est certain d'avoir enfin trouvé la bonne personne.

Elle, elle approche la quarantaine. Elle a déjà vécu plusieurs années en couple pour constater un jour qu'elle n'était plus amoureuse, et partir dans la foulée. Dans le cas où elle n'a pas encore d'enfant, elle aimerait en avoir un, mais n'en fait pas une condition absolue. Elle est charmante, féminine, élégante, courageuse. Elle a une situation professionnelle qui la satisfait et on la dit intelligente. En tant que femme elle ne réclame que des droits équivalents à ceux des hommes. Enfin, pour tout dire, depuis quelque temps elle en a ras le bol de ne tomber que sur des égoïstes, des coureurs de jupons, des complexés ou des radins, dit-elle.

— *Mais, dis-moi, mon cochon, tu m'as l'air tout disposé à écrire ta troisième histoire. Celle du parfait macho.*
— *Oui, pourquoi pas ? Ça existe... et j'en suis capable, tu sais.*
— *Je sais, je sais bien, dit Ophélie enchaînant immédiatement, n'empêche que la mère Antoine a bien du mérite seule à son âge, dans cette maison isolée.*
— *C'est surtout qu'elle a souvent été seule dans sa vie, et encore plus depuis qu'elle habite cette maison. Je crois qu'avec le temps, vivre sans intime près d'elle, et même vivre en solitaire et sans confort, lui est devenu plus qu'une habitude, une évidence.*
— *Il est vrai qu'avec le temps, on s'habitue à tout, ou presque. Finalement c'est peut-être ça l'adaptabilité, qui est, paraît-il, un des axes de l'intelligence, s'interrogea Ophélie.*
— *En outre l'habitude aidant, elle ne doit plus trop mesurer les excès de son environnement. Avec ce manque total de commodités et pas grand-chose à l'actif, si ce n'est une vie apparemment saine et la splendeur de nos paysages.*
— *Oui. Sa cabane au fond du jardin n'est pas que du folklore, mais bel et bien la triste réalité d'un autre âge, ajouta-t-elle. Quant à l'hygiène il est vrai que quelquefois...*

Un tiers de l'humanité n'a pas accès aux toilettes. Un constat qui pénalise encore plus les femmes que les hommes, car quand une femme doit s'isoler dans la nature elle se surexpose aux agressions, quel que soit le pays. Mais même dans les pays riches où les équipements sanitaires ne manquent pas, assez souvent les femmes sont gênées d'utiliser les toilettes en dehors de chez elles. Cette gêne explique le phénomène de poop shamming (honte du caca) ressenti par de nombreuses femmes, et certains hommes. Le poop shamming peut avoir des conséquences négative sur la santé.

De plus en France un million et demi de femmes vivent dans la précarité menstruelle. Ce sont des personnes manquant cruellement de moyens ou des jeunes-filles de familles défavorisées qui n'osent pas demander. Pour ne citer qu'un chiffre, d'après le journal Le Monde, les règles coûteraient au moins 3800 euros à une femme au cours de sa vie. Une somme déjà significative à laquelle il faut ajouter la nécessité d'un suivi gynécologique et des dépenses de sous-vêtements ainsi que du linge de lit.

— À propos du manque de commodités, quand on voit où elle vit aujourd'hui encore, on se dit que le père Antoine avait probablement les côtes en long. Il n'a fait aucun aménagement, ni dans la maison ni aux alentours.

— Bien sûr, il est mort jeune !

— Je sais qu'il est mort jeune. Mais il a tout de même vécu ici deux ou trois ans, sans finir le travail. Pour un maçon, il était aussi un peu cossard.

— Ouais, peut-être.

— ...

— Tu fais bien Lionel de souligner la splendeur de nos paysages. Sans quoi nous finirions par trouver banal ce qui est exceptionnel. Des sites maintenant connus dans le monde entier, grâce aux impressionnistes et au tube de couleur.

Si la femme commet l'adultère, son mari y est pour quelque chose.
(Japon)

10

On n'est pas Louis d'or

Jusque-là les artistes sur le terrain, ne pouvaient pas bien saisir les impressions, les couleurs. Ils devaient se contenter d'un croquis annoté puis ils rentraient à l'atelier pour piler les pigments de couleurs et préparer leurs peintures à l'aide d'un liant. C'est la nouvelle technique du tube en métal souple (Étain) qui leur a permis de saisir l'instant, la lumière, le mouvement. Avec les tubes de couleurs emportés sur le terrain, à partir de 1840 l'artiste a enfin pu privilégier son impression face au réel et non la seule description du réel. D'autant qu'il est vite apparu que la photographie, qui venait tout juste d'être inventée, se chargerait dorénavant de la fonction descriptive et de la besogneuse représentation des détails. Dès lors, ces magiciens de la couleur qu'étaient les peintres impressionnistes ont réussi à faire vibrer les bleus et les verts du bocage normand et le mouvement impressionniste ne s'est pas arrêté là. Parmi la dizaine de grands peintres impressionnistes, pas moins de trois femmes ont traversé le temps. En particulier Berthe Morizot dont la peinture était singulièrement douce et romantique. Une exception plus que notable dans le monde de la peinture artistique, longtemps dominé par les hommes. Il est vrai que dès l'Antiquité des femmes pratiquèrent la peinture, mais en un premier temps l'histoire n'a retenu que quelques rares références. Ce n'est qu'à partir des années 1970 que des travaux menés par la recherche universitaire sur la contribution des femmes dans l'art ont abouti à un certain nombre de révisions de l'attribution d'œuvres jusque-là portées au crédit d'hommes. On « découvrait » que pendant des siècles des hommes s'étaient attribué la paternité d'œuvres artistiques et/ou scientifiques réalisées en réalité par des femmes. Des détournements à l'époque courants, souvent connus et toujours tolérés par le pouvoir alors en place, celui des hommes !

Ophélie relança leur conversation.

— *Avec l'impressionnisme, on avait une nouvelle donne, en réaction à l'immuable art académique. Ce renouveau allait influencer la sculpture, la littérature et même assez étrangement la musique.*

Lionel s'étonna.

— *La musique, tu es sûre ?*
— *Oui, oui, la musique impressionniste. C'est vrai, c'est surprenant. Elle passe par une succession d'impressions, une écriture non linéaire. On la retrouve chez Debussy et surtout Ravel qui usent de divers artifices pour modifier le timbre des instruments.*

Nous venons de le dire, les femmes ont participé à l'émerveillement que nous ont offert les peintres impressionnistes. Dans tous les domaines, d'autres femmes ont suivi, de la vie sociale à l'art, des sciences à la politique, du sport à la culture... Même si les hommes ne leur ont pas toujours facilité les choses, au fil du temps les femmes n'ont jamais cessé d'innover, créer, inventer, découvrir, tester... Quelques exemples de nouveautés emblématiques en attestent : En 1886, une femme invente le lave-vaisselle mécanique, l'année suivante une autre femme fait breveter les escaliers de secours et en 1898, une troisième réussit le permis de conduire. C'est une femme qui a écrit le premier algorithme de l'histoire ; encore une femme qui pose le principe du guidage des torpilles par radiofréquences. En 1944, les Françaises obtiennent le droit de vote ; en 1946, l'égalité entre hommes et femmes est inscrite dans la Constitution ; en 1974 est créé le premier Secrétariat d'État à la condition féminine qui donna corps au mouvement politique moderne en faveur des droits des femmes.

À ce propos il faut bien comprendre que contrairement à ce que prétendent certains détracteurs du féminisme, le projet politique en faveur des droits des femmes a toujours été de « seulement » mettre fin aux discriminations dont elles étaient, et dans bien des cas sont encore, les victimes. Ceci en promouvant tout simplement une politique d'égalité entre les sexes et non en reconnaissant aux femmes des droits spécifiques, comme cela a quelquefois été avancé. Peut-être dans la mauvaise intention de laisser croire que les femmes revendiquaient des privilèges, ce qui n'a jamais été le cas, en termes d'égalité de droits entre femmes et hommes.

Concrètement, les questions le plus souvent associées aux notions de droits des femmes incluent de façon non exhaustive : les droits d'intégrité corporelle et d'autonomie ; le droit de ne pas subir de violence sexuelle ; les droits civiques (vote, éligibilité) ; le droit à être l'égale du mari et du père dans la famille ; le droit au travail ; l'égalité salariale ; le droit de maîtriser sa reproduction (contraception, avortement) ; le droit de propriété et le droit d'accès à l'éducation. Cette dernière avancée mérite une attention toute particulière puisqu'au niveau mondial, à ce jour encore ce n'est pas moins de cent quarante millions de filles en âge d'être à l'école primaire qui ne sont pas scolarisées. La pandémie de Covid-19 a encore aggravé les choses, de sorte que ce constat à lui seul explique que les femmes représentent aujourd'hui encore deux tiers des analphabètes dans le monde. À côté de cela, cinq domaines font encore polémique, ce sont : l'interruption volontaire de grossesse, la contraception, la prêtrise, le droit de se baigner librement et le divorce. On notera pour finir que certaines revendications peuvent entrer en contradiction avec des convictions religieuses et/ou morales et/ou éthiques.

Lionel enchaîna.

— *Les féministes sont contrariées par les injustices dont elles s'estiment victimes.*

— *Pas que les féministes Lionel, les femmes en général. Nous sommes en colère.*

— *Vous êtes remontées contre qui ?*

— *Bien plus que remontées. Ne cherche pas c'est de la colère. Rien d'autre. L'égalité entre les femmes et les hommes est une valeur fondamentale pour construire la société plus juste, mieux équilibrée, que nous exigeons.*

Ce n'est pas par hasard que la chanson de variété, La Grenade, sortie en 2017, interprétée, composée et écrite par Clara Luciani, a rencontré un vif succès international et durable. Outre son talent, l'Autrice-compositrice-interprète chante des paroles chargées de sens : « La compétence et la force des femmes ne sont pas inférieures à celles des hommes ». Puis, elle conseille à l'auditeur de prendre garde et faire attention, [car] « Sous la surface se cachent une colère et une rage que l'on ne soupçonne pas ». Probablement mal comprise à sa sortie, l'œuvre n'est entrée que tard au top 10, pour ne plus le quitter avant longtemps. À la suite de quoi la chanson s'est maintenue six autres semaines dans les meilleures ventes de singles. Chose rare, l'œuvre se trouvait toujours première des téléchargements un an après sa sortie.

Ophélie marqua une pose afin de mieux reprendre.

— *Nous les femmes, nous savons que le chemin est long ; nous savons que nous n'avançons que lentement dans ce monde où nos droits apparaissent si fragiles et tant menacés. Quand ils ne sont pas purement et simplement déniés.*

— *Ophélie, essaie de voir plutôt le côté positif. Dis-toi que la cause des femmes a déjà bien avancé et aussi que généralement tout ce qui est menacé paraît plus beau : comme une fleur après le gel, autant courageuse que fragile.*

— *C'est ça, moque-toi. Petit à petit, les mentalités changent, viendra un jour où nous ne serons plus cantonnées dans les seconds rôles. Tout le monde y gagnera, crois-moi.*

— *Je n'ai pas voulu me moquer. On en a déjà parlé plusieurs fois, attention à ne pas être excessivement méfiante. Nous savons bien, toi et moi, qu'en toute chose l'excès est un défaut.*

— *Avec toi, on ne sait jamais, rétorqua-t-elle... en souriant. Tu verras. Vous verrez tous que progressivement le talent et l'audace des femmes vont donner un souffle nouveau à la société entière.*

— *Eh bien mon Ophélie, voilà une sérieuse mise au point. Plaisanterie mise à part, tu as raison, dorénavant je m'appliquerai.*

Lionel était sincère en disant qu'il s'appliquerait. Depuis des années, il s'exerçait à tenir compte des remarques, des réflexions et reproches qui lui étaient faits. À l'instar de bien des Anglo-saxons qui probablement pour des raisons culturelles, semblent le faire naturellement, Lionel, lui, avait appris à se nourrir d'un retour négatif. Même le plus vif. Il s'était imposé cette contrainte après avoir trouvé en elle un bon moyen de s'améliorer.

— *Lionel, tu as vu clair le premier, avec le temps elle est devenue la grand-mère que je n'ai pas eu la chance de connaître. Madame Antoine est tellement attachante, elle a vécu tellement de choses. Je peux dire qu'elle va me manquer.*

— *Oui, la voilà presque centenaire, totalement lucide et avec un projet de couveuse, même pas automatique. Mais pourquoi dis-tu qu'elle te manquera ? Tu la crois mal en point ?*

— *Non, pas plus que ça. C'est seulement que forcément... un jour ou l'autre...*

— *Oui, forcément.*

Dans la France du XVIIᵉ siècle, l'espérance de vie ne dépassait pas trente ans, hommes et femmes confondus. En 1950, elle était de soixante-neuf ans pour les femmes et soixante-trois pour les hommes.

En 2023, elle a atteint 85 ans pour les femmes et 79 ans pour les hommes. Une différence qu'expliquent plusieurs facteurs. D'abord, les femmes ont un meilleur système immunitaire qui en outre vieillit moins vite que celui des hommes ; ensuite, elles souffrent plus souvent de maladies chroniques relativement bénignes, mais sont moins sujettes aux maladies cardiaques. Et aussi, les femmes prêtent plus attention à leur santé alors qu'à l'inverse, jusqu'à présent les hommes ont multiplié les comportements à risques, pourtant bien connus et décriés.

— *Et puis tu sais, Lionel, avec Tata-Antoine il y a les expressions qu'elle est seule à utiliser et qui nous resteront pour la vie. Quand elle dit, Que diable ! pour s'étonner d'une chose ou d'une autre. Ou bien celle que tu lui empruntes déjà couramment, Les côtes en long pour parler de quelqu'un qui aurait du mal à se baisser. Autrement dit, le traiter de fainéant, sans le dire.*

— *C'est que je la trouve originale et bien pratique. C'est bien connu, l'humour adoucit toujours la critique.*

— *À mon goût son point d'orgue c'est, On n'est pas Louis d'or, on ne peut pas plaire à tout le monde. Une réflexion qui à elle seule élargit le sens du mot tolérance. Ça aussi c'est unique. C'est unique et c'est signé Tata-Antoine et ça me manquera.*

Quoi qu'elle fasse, la femme doit le faire deux fois mieux que l'homme pour qu'on en pense autant de bien. Heureusement, ce n'est pas difficile.

Charlotte Whitton

11
Et le pire arriva

Stanislas

Stanislas est un jeune, beau et ténébreux Aixois qui vit et travaille à Paris. Il est comptable, mais il a horreur des chiffres ; il dit que la poésie est morte un jour en entrant à la banque.

Le soir venu, douché et rasé de près, Stanislas enfile une tenue décontractée, dose savamment l'eau de toilette Guerlain sur sa peau toujours ambrée, et s'en va vers les bords de Seine. Là, avec quelques mots de russe, de japonais ou d'anglais il adore renseigner les jeunes étrangères un peu paumées le plan de Paris à la main. Des mots souvent baragouinés, mais pas trop non plus pour être sûr d'être compris. Au premier sourire, Stanislas leur propose une glace chez Berthillon, sur le ton avec lequel on propose un jeu à un enfant. Rares sont celles qui refusent. C'est qu'il sait de quoi il parle Stanislas, lorsqu'il parle de femmes et de séduction.

Il explique volontiers, et d'un air savant, que tout passe par un dosage propre à chacune d'elles. Un assemblage savant entre farniente, sensualité et inclination à la luxure. De son point de vue de spécialiste qu'il s'estime être, on a là très précisément ce à quoi doivent conduire de nos jours les vacances d'une touriste célibataire à Paris.

Le lendemain matin lorsqu'elles le quittent la larme au coin de l'œil, Stanislas jure à chacune une fidélité éternelle…

Mais dès le soir venu, douché et rasé de près, il enfilera une tenue décontractée, dosera savamment l'eau de toilette et repartira vers les belles étrangères en vacances à Paris.

Nombreux sont celles et ceux qui pensent que Stanislas, loin de n'être qu'un macho, sublime un art éternel, l'art de la séduction.

— *Lionel, tu oses écrire qu'un macho est un artiste ?*

— *Non. Je dis que séduire est un art et je pense qu'un séducteur n'est pas forcément un macho. Ce n'est pas du tout pareil. C'est même à peu près l'inverse.*

— *Oui, bon ! Peut-être que tu as raison... C'est bien ce qui me contrarie.*

— *Ah bon, maintenant tu es contrariée parce que j'ai raison ?*

— *Non, que tu es bête. Je suis... disons... embêtée. Oui embêtée c'est bien, c'est le bon mot. Je suis donc embêtée de devoir reconnaître que séduire est probablement un art.*

— *Ne sois pas contrariée ni embêtée, mon Ophélie, je t'aime et les choses sont ainsi. Dis-moi, si nous allions prendre un verre au café du village, lança-t-il.*

— *Oui, allons-y à vélo. Mais avant je tiens à te redire que ta nouvelle histoire ne me plaît pas du tout. J'ai du mal à accepter l'idée que macho ou pas macho, on puisse séduire en appliquant une technique.*

— *Non, Ophélie ! Pas question de séduire en appliquant une technique. Dans la séduction, la dimension humaine est présente. Les sentiments sont là et n'ont rien de technique. Heureusement pour nous, nous ne sommes pas des machines.*

— *Ah, quand même. Tu reconnais qu'en amour ce sont les sentiments qui régissent les choses, et qu'il est heureux qu'il en soit ainsi.*

— *Oui, bien sûr. Il n'empêche des techniques existent, par exemple la « synchronisation active » qui consiste à adopter — mais sans excès — les mêmes positions, mêmes gestes, mêmes types de mots et même ton que l'interlocuteur. Ceci dans l'optique d'améliorer les échanges, mieux se faire comprendre et faciliter le rapprochement des personnes.*

D'autres techniques de communication peuvent aider à ceci ou cela. De sorte que c'est la combinaison de ces façons de faire, l'agencement et la mise en œuvre de ces techniques, avec comme liant la dimension humaine et les sentiments, qui fait la séduction ou ne la fait pas.

— Lionel renouvela sa proposition : Viens Ophélie, allons jusqu'au village prendre un verre. Cela nous changera les idées.

Après un instant de silence, il ajouta.

— Juste avant tu peux, s'il te plaît, me donner ton avis ? Il faut que j'avance, ce sont deux nouveaux textes. Le premier est un dialogue. J'ai intitulé la seconde histoire, Trois jours.

Elle ne répondit pas, choisissant de lire directement les feuillets qu'il lui tendait.

Coïncidences

Le bar des amis est un bistrot de territoire tenu par Eugène, le patron. Deux consommateurs discutent avec assez de conviction pour que la salle entière en profite.

Consommateur 1 :   C'n'est pas vrai. T'es né le 28 février ?
Consommateur 2 :   Oui, le 28 février à Macon.
Consommateur 1 :   Mais non, c'n'est pas possible. Moi c'est 70. Le 28 février 1970 à Mâcon.
Consommateur 2 :   Tu plaisantes. Le 28 février 1970 à Mâcon, exactement comme moi ?
Consommateur 1 :   T'as plus qu'à me dire que tes parents c'est Odette et Aimé.
Consommateur 2 :   Exactement. Odette et Aimé, ma mère et mon père. Tu les connais ?

Un client habitué entre dans le bar des amis. Il dit bonjour à la cantonade, serre la main d'Eugène, commande un café puis engage la conversation.

Le client :   Alors Eugène, quoi de neuf ?
Eugène :   Oh pas grand-chose, le train-train. On a du beau temps ; quelques clients ; c'est bientôt l'été et puis comme d'habitude… les jumeaux qui sont encore bourrés !

L'histoire du bar des amis la fit à peine sourire. En la voyant changer vivement de feuillet, il comprit qu'elle repoussait ce dialogue invraisemblable. Certainement pour elle, l'exemple même de ce qui ne s'écrit pas dans un journal qui soigne sa tenue. À l'inverse, dès les premières lignes du texte suivant, son visage s'éclaira. Visiblement, ce qu'elle lisait lui faisait du bien même si, connaissant l'oiseau qui en était l'auteur, elle redoutait le pire comme chute à cette douce mélodie… et le pire arriva !

Trois jours

Depuis trois jours qu'elle n'est plus là, la vie me semble vide de sens.

Fini le piment léger de son parfum qui flotte dans l'air à chacun de ses gestes. Fini l'agitation harmonieuse de ses déplacements incessants de la cuisine à la salle de bain. Fini l'ondoiement de ses hanches lorsqu'elle s'éloigne. Fini la vision idyllique de son corps d'amphore lorsqu'elle vient vers moi. Fini ses sourires prévenants et remplis d'amour. Fini toutes ces petites attentions qui font que la vie est belle.

Trois jours qu'elle n'est plus là et ce vide soudain a rendu chaque objet, chaque meuble, chaque pièce d'une froideur rébarbative. Comme si elle seule pouvait leur donner vie et usage. Trois jours sans elle. Trois jours qui paraissent des semaines. Trois jours lors desquels j'ai pu mesurer à quel point nous vivons l'amour passionnel, l'entente parfaite : à la fois suffisamment de points communs pour bien nous comprendre et suffisamment de différences pour nous compléter.

Nous sommes différents, mais complémentaires. Et inséparables.

Quelques heures à peine et j'entendrai la voiture qu'elle gare dans la rue ; l'appel de l'ascenseur ; l'ascenseur qui s'arrête à l'étage ; ses pas sur le palier ; la clé dans la serrure. Je la prendrai dans mes bras, la couvrirai de baisers, la serrerai fort sur ma poitrine.

Et là, enfin ! elle pourra faire la vaisselle.

— *Bon. Tu t'es fait plaisir.*

— *Tu sais bien Ophélie que la question n'est pas là.*

— *Et elle est où, la question ?*

— *Je dois produire et il en faut pour tous les goûts. J'écris ce qui me vient à l'esprit en essayant de me montrer inventif, drôle, acerbe, moqueur, ironique, taquin… bref, j'écris ce qui me semble divertissant. Quitte à me montrer quelquefois violent ou excessif.*

— *Ce n'est pas une raison pour écrire des bêtises.*

— *Tu n'as tout de même pas perdu de vue que cette commande m'a été faite pour la rubrique Di – ver – ti – se – ment, articula-t-il à l'excès.*

— *Tu n'étais pas obligé de conclure par, faire la vaisselle. Franchement, Lionel, il était difficile de faire pire comme conclusion, lança Ophélie, visiblement agacée. Et puis d'abord, on ne dit pas « faire », mais « laver » la vaisselle !*

— *Si j'enlève cette chute forcément inattendue, surprenante, cinglante je te l'accorde, voire agressive, je verse immédiatement dans le roman à l'eau de rose.*

— *Pourquoi pas. C'est distrayant aussi.*

— *Tu me demandes pourquoi pas un roman ? mais enfin Ophélie ce n'est pas ce que le client attend de moi. Souviens-toi, c'est une commande, et une commande doit répondre à ce que veut le client. D'ailleurs tu le sais autant que moi.*

Quoi qu'elle fasse, la femme doit le faire deux fois mieux que l'homme pour qu'on en pense autant de bien. Heureusement, ce n'est pas difficile.

Charlotte Whitton

12
Transparence ou confiance ?

Nous étions le 2 mai 1986. La presse régionale, nationale et internationale titrait : Accident nucléaire en Ukraine ; Un nuage radioactif sillonne l'Europe ; La France touchée à son tour. Ce vendredi, lendemain de fête du Travail avait des allures de jour férié puisque se prêtant on ne peut mieux à un long pont. Lionel et Ophélie étaient attablés au cœur d'une terrasse, sous le soleil de midi. Trois personnes déjà les avaient salués. Un des trois bonjours venait de Mathieu. Tout comme Lionel, Mathieu avait grandi entre Paris et ici où une maison de famille l'accueillait lui aussi chaque année pour les vacances avec ses parents, ses frères et sœurs, oncles et tantes, cousins et cousines. Un été, au début des années soixante Lionel et Mathieu s'étaient autoproclamés pour quelques semaines « animateurs » de cette ribambelle de sept ou huit jeunes et joyeux vacanciers, dont ils étaient les aînés. Une sorte de jeu collectif qui se reproduisit deux ou trois étés de suite

Quelques années plus tard les deux adolescents devenus de jeunes hommes, eurent l'idée de gagner un peu d'argent de poche en proposant aux commerçants de l'époque, leurs services de laveurs de carreaux. Parmi les rares boutiquiers à accepter cette offre il y eut la jeune veuve d'un artisan qui en association avec son propre frère, venait tout juste de reprendre l'entreprise laissée par le pauvre mari prématurément décédé.

En France, les femmes occupent de nombreux métiers, surtout dans la santé, l'enseignement et les services à la personne. Mais elles rencontrent encore des obstacles pour accéder aux métiers de la sécurité, du transport ou de l'information, pourtant jugés essentiels pour la société. De plus, les femmes travaillent souvent à temps partiel et l'inertie sociale étant ce qu'elle est, elles restent majoritairement dans l'agriculture, les services domestiques, les emplois peu qualifiés. Tout ceci explique, au moins en partie, le déclassement salarial dont beaucoup de femmes souffrent encore.

Simultanément depuis une décennie, l'envie d'entreprendre qui avait déjà gagné les hommes, s'est aussi emparée des femmes. Cette appétence pour l'entrepreneuriat se heurtant aux mêmes réticences et rencontrant les mêmes freins pour les deux genres, mais à des degrés divers. Par exemple, d'après une enquête de la Banque Mondiale datant de 2019, la peur de l'échec inquiète encore plus les entrepreneuses que les entrepreneurs. Une fois surmontée cette crainte de ne pas y arriver, et essentiellement en raison de préjugés défavorables, les femmes rencontrent des entraves aux financements encore plus insurmontables que celles auxquelles se heurtent les hommes nous dit une Étude de la Banque Européenne. Enfin, au troisième rang des réticences et freins à l'entrepreneuriat apparaît alors la complexité d'articulation des temps de vie. Elle-même aggravée par l'éternelle question de la maternité. En résumé, pour les raisons que nous venons d'apercevoir, les entrepreneuses rencontrent encore plus d'obstacles que les entrepreneurs. Sans compter que les procédures d'accès aux dossiers et de gestion des dossiers freinent souvent et empêchent quelquefois l'agilité et l'adaptabilité pourtant utiles.

Pour revenir à Mathieu, on peut dire que sa première cliente n'avait pas imaginé qu'il lui proposerait de surcroît, des activités d'arrière-boutique, tout à fait ludiques. C'est pourtant ce que fit l'apprenti laveur de vitres en découvrant tout l'attrait que dégageait la jeune femme. Assez vite, entre deux nettoyages de vitrine, madame Fulcrant en vint à participer, toujours volontiers et souvent avec entrain, aux activités conduites par le nettoyeur de vitrines. Mais les contraintes sociales et la morale étant ce qu'elles ont toujours été, la jeune veuve redoutait de voir sa réputation entachée au cas où son goût pour les activités récréatives, conduites par Mathieu, viendrait à se savoir. C'est ce qui faillit se produire le jour où le frère (et nouvel associé) de la jeune veuve revint plus tôt que prévu à la boutique, dont l'arrière servait d'atelier. Mathieu pris de court passa quelques minutes qui lui parurent une éternité cachée dans la première penderie venue, le pantalon sur les genoux. Cependant son aptitude à vite disparaître dans un placard ne servit pas à grand-chose, car, la voisine de la jeune femme, officiellement soucieuse de la seule bonne gestion du commerce, mais en vérité littéralement cramoisie de jalousie, avait remarqué que la vitrine n'était pas suffisamment sale pour justifier d'aussi fréquents passages du laveur de carreaux. Un jour de ménage, appuyée sur son balai avec l'air de la vertu qui parlerait du crime tombé aux mains de la loi, la voisine en avait touché un mot à une autre voisine. Cette dernière s'était empressée de le répéter – bien évidemment sous le sceau du secret absolu –, à un voisin. Et ainsi de suite, de sorte que la rumeur fit rapidement le tour du village. En moins de quarante-huit heures les activités de divertissement de la jeune veuve et du laveur de carreaux, étaient devenues un sujet prisé de commérage. Depuis, bien que de nombreuses années aient passé, souvent lorsqu'ils se croisent, Mathieu et Lionel n'ont pas besoin de se parler pour sentir poindre en eux le discret sourire complice de celles et ceux qui ont la chance de partager un aussi croustillant souvenir. Quant à la veuve Fulcrant, à ce que l'on dit, ce n'est qu'en refaisant sa vie loin d'ici qu'elle retrouva le bonheur auquel elle a toujours eu droit.

Attablés sur la terrasse de l'Hôtel Moderne, Lionel et Ophélie dégustaient en silence ce moment de délassement. Sur la table, sous leurs yeux, le journal Paris-Normandie titrait : Catastrophe nucléaire majeure en Ukraine.

Après un moment, c'est elle qui lança.

— Je t'avais dit que c'est grave ce qui se passe. Ce qui se passe là-bas. Pas besoin d'un doctorat en physique nucléaire pour comprendre qu'une explosion au cœur d'une centrale atomique libère dans l'atmosphère une dangereuse quantité d'éléments radioactifs.

— Oui Ophélie, tu m'as dit que c'était grave et je t'ai répondu que nous n'y pouvions rien.

— C'est tout ce que tu trouves à dire ?

— Oui, malheureusement c'est tout ce que l'on peut dire.

— Et les victimes ? Et les dégâts ?

— À plus ou moins long terme, il y aura des maladies et des décès par irradiations ou par contaminations. Il y en a peut-être déjà du fait de l'explosion elle-même.

— Et ?

— Et, le mal est fait. Il ne reste qu'une question dramatiquement simple : Quand et combien ? Puisqu'il y a déjà pollution de l'atmosphère.

— Pour longtemps ?

— Je ne sais pas. Dans tous les cas une pollution difficile à résorber.

Ophélie ne voulait pas entendre quelque raison que ce soit concernant cette affaire. Étonnamment, toute considération, toute prise de position par Lionel sur ce sujet, lui déplaisait. Qu'elle soit logique ou pas, qu'elle se tienne ou non, qu'il en parle en des termes compatissants ou neutres, accusateurs ou indifférents, c'était comme si à propos de Tchernobyl, Lionel était incapable de produire la moindre idée. Comme si elle seule était en mesure d'en parler justement. Un événement qu'elle avait fini par personnifier tant il la tenait à cœur. Pour Lionel c'était à ne plus rien y comprendre, et pour cause : sans qu'il sache pourquoi, sans aucune raison apparente Ophélie semblait se situait au cœur d'une question affective, alors qu'il s'agissait bel et bien d'un domaine matériel. C'est avec un brin d'étonnement et une pointe d'amusement que Lionel constatait jusqu'à la confiscation de sa liberté d'expression. En fait, cette forme inédite de censure, venant d'Ophélie sur une question en apparence aussi lointaine, l'interrogeait bien plus qu'elle ne le gênait, aussi il avait pour l'instant choisi d'en rire, faute de comprendre.

— *Si on t'écoutait, Lionel, on se contenterait de constater : le mal est fait, point. Pas très empathique comme comportement.*

Une nouvelle fois, il hésita à lui expliquer qu'il fallait prendre de la distance vis-à-vis de cette catastrophe ; qu'elle en venait maintenant à être incohérente avec elle-même ; qu'elle en perdait la logique du raisonnement. Mais cette fois encore quelque chose le retint et il se dit : À quoi bon insister ? Cela pourrait produire l'effet inverse. Aussi il ne répondit que d'un mouvement de tête au reproche en forme de question qu'elle venait de lui adresser. De son côté, après quelques pages de journal un peu trop nerveusement tournées, Ophélie, dont la bonne éducation l'avait entraîné à la maîtrise de soi, revint d'elle-même vers lui.

— *Excuse-moi Lionel, je m'en prends injustement à toi, il faut me comprendre je me sens piégée par cette histoire. Je suis prise dans une situation qui m'effraie. Tu as raison, n'en parlons plus.*

— *Au contraire, il faut en parler. Surtout si cela peut t'aider, mais en gardant à l'esprit que ce n'est pas avec nos petites mains que l'on va changer le cours des choses. Ce qui est arrivé est arrivé.*

— *Je te trouve bien fataliste, Lionel. Je t'ai rarement vu te résigner aussi vite.*

— *Espérons seulement que les gens qui nous gouvernent auront toutes les compétences et se donneront les moyens pour gérer au mieux cette crise. Cela dit, ne rêvons pas, ils ne nous avoueront jamais tout. C'est toujours pareil on le sait bien, la transparence n'est qu'illusion.*

— *C'est bien ce que je dis, tu deviens fataliste.*

— *Si cela peut te rassurer Ophélie, protégeons-nous. On pourrait par exemple prendre de l'iode. C'est l'iode qui protège la thyroïde de la radioactivité. Mais ce n'est pas tout. Il faudrait voir un médecin. Je peux m'en occuper si...*

— Lionel ! Lionel qu'est-ce que tu veux dire exactement par, La transparence n'est qu'illusion, questionna-t-elle inopinément. Comme si elle n'avait rien entendu des explications ni de la suggestion de soins qu'il venait de faire.

— Je veux dire que la transparence totale n'existe pas. Elle n'a d'ailleurs pas à exister. Je pense qu'en toute chose ce qui compte ce n'est pas tant la transparence, mais l'exemplarité et surtout la confiance.

— Tu joues sur les mots.

— Pas du tout. Seule la confiance compte.

— Ah bon.

— Le rôle d'un dirigeant quel qu'il soit. Le rôle d'un décideur, celui d'un ministre, d'un président... d'un politique, d'un chef d'entreprise, d'un officier, d'un cadre... est de conduire l'Entreprise, l'Institution, l'Organisme, l'Administration dont il est en charge pour obtenir des résultats.

— C'est évident.

— Ce n'est pas par la transparence qu'il y parviendra, mais par son travail et par la confiance qu'il mérite qu'on lui accorde, ou pas.

— Donc d'après toi, Lionel, la notion essentielle ici comme ailleurs relève de la confiance que l'on a su établir et que l'on sait entretenir.

— Exactement, seule la confiance compte. Confiance qui d'ailleurs peut s'appuyer sur l'exemplarité. Finalement ce qui compte c'est de ne pas tricher, ni avec soi-même ni avec les autres.

— Ah ça, c'est simple à comprendre et je le comprends bien : ne pas tricher, ni avec soi-même, ni avec les autres ! J'suis d'accord.

La confiance renvoie à l'idée que l'on peut se fier à quelqu'un ou en quelque chose. Ce qui suppose d'accepter de s'en remettre à autrui, d'accepter de croire en ses bonnes intentions. Aussi, la confiance ne peut que se construire et se gagner dans le temps, dans la fidélité et la persévérance. Pour être complet, il faut ajouter que la morale et l'éthique ont toute leur place dans la construction de la confiance, qui passe aussi par le respect des engagements et celui de la parole donnée.

Ainsi, c'est parce qu'il respecte les valeurs morales, parce qu'il respecte le secret et l'éthique de sa profession, parce qu'il est fidèle à ses principes et qu'il tient ses engagements que j'ai confiance en mon médecin, mon avocat, mon notaire, mon banquier, mon prêtre. La transparence n'a rien à voir là-dedans, elle n'est que rhétorique et certains, quelques politiques notamment, en usent et en abusent dans leur seul intérêt. C'est vraiment dommage.

— *Vu ainsi je veux bien. Bon ! Assez réfléchi pour ce matin, et si on allait réserver un tennis, proposa soudainement Ophélie, plus mutine que jamais ?*
— *Allons-y, dit Lionel en se levant lestement en direction des vélos. Le dernier arrivé au Tennis-Club invite l'autre. Je te laisse jusqu'au bout du chemin d'avance.*

Dans une large mesure, le sport est le reflet de la société. En conséquence, tous les sports sont concernés par ce que vivent les femmes et les hommes dans leurs pratiques sportives individuelles ou collectives. Y compris les éventuelles agressions et violences sexuelles. Ces violences concernent aussi bien les relations des sportifs – professionnels ou amateurs –, entre eux, que leurs relations avec leurs entraîneurs ou dirigeants. Les violences sexuelles regroupent les agressions sexuelles par utilisation de la force ou par menace, contrainte ou surprise. Les agressions et violences peuvent prendre la forme de chantages, d'invectives, d'humiliations, d'exhibitionnisme ou de voyeurisme. Le bizutage, qui se caractérise par l'obligation d'accomplir des actes humiliants et/ou dégradants, s'inscrit sur cette longue liste. C'est ainsi qu'en conséquence de ce qui précède, au niveau mondial, toutes les études et observations les plus récentes indiquent que la situation est largement dégradée en matière d'agressions et de violences dans le sport. Pour ne donner qu'un chiffre, avant ses 18 ans un sportif ou une sportive sur sept subit une agression sexuelle ou un viol. En France, le ministère des Sports a créé en 2020 une cellule dédiée au suivi des violences sexuelles, puis a lancé en juin 2021 un plan de prévention. Autre avancée significative, les JO Paris 2024 sont les premiers Jeux Olympiques de l'ère moderne auxquels auront participé autant d'athlètes féminins que masculins. Un progrès assurément historique, mais un peu tardif.

Enfin, si nous nous réjouissons de la spectaculaire envolée d'audience du foot féminin, ce sport universel, simple, facile à comprendre, nous ne pouvons que regretter l'absence de parité dans les instances dirigeantes, notamment entre les entraîneurs femmes et hommes. Selon une étude de l'Union des Associations Européennes de Football (UEFA) sur 55 fédérations, seules 14 ont une femme à la tête de leur équipe nationale féminine. Cette situation est dommageable pour le foot féminin, les femmes entraîneurs pouvant apporter une autre vision du jeu, une autre pédagogie et une autre relation avec les joueuses. Elles peuvent aussi constituer un modèle pour les jeunes filles qui hésitent à s'engager dans cette discipline. Il est donc également nécessaire de favoriser l'accès des femmes aux postes d'entraîneurs, dans le football féminin, comme dans d'autres disciplines sportives.

Partout où l'homme a dégradé la femme, il s'est dégradé lui-même.
Charles Fourier

13

L'empathie ruineuse

De retour après la course à vélo, Lionel était en nage et Ophélie magnifiquement emperlée de sueur, comme l'aurait chanté le poète, s'il avait eu la chance de la croiser. Une douche s'imposait. Elle passa la première. Lionel hésita un instant, il y avait bien longtemps qu'il n'avait pas rejoint Ophélie sous la douche et l'idée venait de l'effleurer. Cependant là encore quelque chose le retenait, il craignait de ne pas être reçu avec enthousiasme. Continuant à mettre sur le compte de la préoccupation de sa compagne la distance qu'il ressentait, il attendit sagement son tour en feuilletant un magazine, jusqu'à tomber sur cet entrefilet dont il se promit de faire prochainement le sujet de l'une de ses historiettes.

Sur une tablette d'argile babylonienne, dont l'âge est estimé à plus de 3000 ans, probablement l'une des plus anciennes traces connues d'écriture, on a décrypté les deux phrases suivantes : « La jeunesse d'aujourd'hui est pourrie, mauvaise, irréligieuse et paresseuse » ; elle ne sera jamais « comme la jeunesse du passé et sera incapable de préserver notre civilisation ». Une info qui loin d'être anodine nous démontre que non seulement l'histoire est bien un éternel recommencement, mais nous dit aussi, et surtout, que nos émotions de base, telles nos joies, nos tristesses, peurs, colères, surprises, dégoûts… sont les mêmes depuis des millénaires. Ce à quoi nous pouvons ajouter sans grand risque d'erreur que sauf évènement vraiment extraordinaire, ces mêmes émotions, ces mêmes peurs, ces mêmes troubles, agitations et saisissements devraient continuer à nous habiter au moins quelque temps encore.

Lionel en était là de sa réflexion lorsqu'il entendit s'ouvrir la porte de la salle d'eau. Ophélie déboucha par le couloir les cheveux dénoués et encore légèrement humides. Elle était enroulée dans un peignoir blanc qui masquait à peine ses formes. Lionel ne put s'empêcher de prendre cette tenue comme une provocation, se demandant si elle était consciente de l'attrait qu'elle exerçait sur lui ; se demandant si elle faisait exprès ou pas. Il la désirait plus que jamais et faillit la prendre dans ses bras et même la prendre tout net dans un élan de virilité tranquille, comme il avait souvent su le faire par le passé. Mais là aussi, quelque chose le retint. Probablement le regard désespérément amical qu'elle lui porta à cet instant. Lionel sourit à son tour d'un triste rictus, puis il alla se doucher, seul ! L'après-midi passa d'un trait. Il termina ses travaux de peinture extérieure puis se remit à écrire. Ophélie, entre deux séances de farniente, replongea dans le roman historique qui la passionnait tant. Ce n'est qu'après en avoir dévoré trois chapitres entiers, qu'elle entreprit de répondre à l'enquête sur le changement d'heure, trouvée dans le courrier ramené de Paris. Cette fantaisie administrative, consistant à changer d'heure deux fois par an, faisait déjà l'unanimité contre elle, moins de dix ans après son instauration. À l'époque autant que de nos jours, les agriculteurs boudaient le changement d'heure ; le corps médical n'y voyait qu'un regrettable décalage vis-à-vis de l'heure solaire et dénonçait des troubles de l'appétit et de l'humeur et des dérèglements du sommeil ; les entreprises n'en retiraient qu'un bénéfice très relatif. Dans le même temps, des particuliers s'en plaignaient et l'on commençait à estimer que l'argument de l'énergie économisée ne justifiait pas autant de tracas. Certains autres désagréments, insoupçonnables au début, apparurent avec le temps. Par exemple l'aggravation en défaveur des femmes de l'inéquitable répartition des corvées ménagères, dont voici une rapide explication. Avec le changement d'heure, la sensation de faim due à la baisse du taux de glycémie dans le cerveau, se décale du rythme social établi. Ce premier décalage conduit à modifier l'heure de préparation des repas. Or, aujourd'hui encore, ce sont souvent les femmes qui se chargent des corvées de cuisine et doivent en conséquence adapter leur emploi du temps par des aménagements pouvant impacter leur temps libre, déjà inférieur à celui des hommes. Nous y reviendrons. Plus grave encore, chaque année au moment du passage à l'heure d'hiver, on enregistre un pic d'accidentalité et même de mortalité faisant des piétons les premières victimes, suivis de près par les cyclistes et autres trottineurs. Malgré ces inconvénients majeurs, quelquefois dramatiques, en regard de quels avantages, on se le demande, rien ne bougeait. De nos jours, la fantaisie du changement d'heure occupe encore pas mal de monde dans nos ministères et administrations. Les événements internationaux survenus depuis 2019, la crise sanitaire, économique, sociale puis la guerre en Ukraine, ne facilitant pas quelque réforme que ce soit, surtout d'envergure internationale, il est probable que la situation perdure. Ce qui nous confirme qu'il n'est pas rare que la réalité change plus vite que les règles, décrets, codes et lois qui prétendent « l'apprivoiser ».

En début de soirée, la réponse à l'enquête sur le changement d'heure une fois sous enveloppe, Ophélie ressortit une peinture qui attendait depuis l'automne dernier qu'elle réussisse à saisir cette lumière si particulière qui illumine certains jours la nature à la fin de l'une de ces belles journées de demi-saison. L'heure s'y prêtait. Elle essaya à nouveau de rendre sur la toile ce rayonnement pur et limpide de l'instant où le jour va basculer vers la nuit. Cette fois encore elle trouva l'exercice bien difficile. Au bout d'un moment, Ophélie posa son pinceau, considérant alors sa peinture avec tristesse.

— *Mais comment faisaient-ils les impressionnistes et tous les autres ? dit-elle à mi-voix.*

Les yeux perdus dans la contemplation du charmant paysage qu'elle avait depuis longtemps pris pour sujet elle portait à peine attention à la présence de Lionel, qui s'était avancé tout doucement vers elle. Celui-ci tenant à se montrer agréable, répondit.

— *Il faudra que nous allions voir de plus près, au musée de l'Orangerie.*

Surprise, elle se tourna vers lui en ouvrant de grands yeux.

— *Parce que maintenant tu t'intéresses à ce que je peins ?*
— *Oui. Je m'intéresse à toi, Ophélie.*

Elle reprit son pinceau.

— *Non. C'est gentil, mais il faut que j'apprenne à me débrouiller toute seule. J'en ai besoin.*
— *Une petite aide ne te fera pas de mal, répondit Lionel, sans se départir de son beau sourire. Ajoutant encore, moi j'ai besoin de ta compagnie.*
— *Ah ! Vraiment ? Ça aussi c'est gentil, mais un peu tard. Je, je crois… je crois que je vais arrêter la peinture.*
— *C'est la vérité, conclut-il en la regardant au plus profond des yeux, mais sans y trouver le signe qu'il espérait tant.*

Vers vingt heures Ophélie et Lionel improvisèrent un en-cas qui n'avait rien de diététique, mais tout de délicieux. D'abord des œufs à la coque à peine salés puis de copieuses tartines de miel et pour finir une pomme. Le tout arrosé d'un verre de Saint-émilion. Au bout d'un moment quand Lionel sortit sur la terrasse pour fumer une Gitane, comme il avait la mauvaise habitude de le dire, et surtout de le faire, Ophélie passa une veste pour le suivre. Il sentit alors, sans s'expliquer comment, qu'elle allait lui parler, qu'elle avait quelque chose d'important à lui dire. En se tournant vers elle, après avoir soufflé la fumée dans une autre direction, il la vit imperceptiblement hésiter le temps d'un quart de seconde, pour finalement ne lui poser que la plus banale des questions.

— *Tu comptes t'arrêter quand ? Tu ruines ta santé, tu empestes. Ta voiture aussi est imprégnée de tabac froid. En plus, tu dépenses bêtement tes sous.*

— *Tu as certainement raison Ophélie, mais tu oublies de dire que c'est aussi un plaisir. Un plaisir au même titre que boire un bon vin, manger un bon plat, bien faire l'amour, lire, écrire, aller au ciné ou visiter un musée…*

— *Ah bon.*

— *Tu sais, j'ai arrêté de fumer pendant huit mois quand Brigitte attendait Amandine. Je me suis vite aperçu qu'il ne se dit que des mensonges sur les bienfaits de l'arrêt du tabac.*

— *Tu es sûr ? Beaucoup disent qu'ils retrouvent le goût, l'odorat…*

— *Ah, tu crois ça. On retrouve le goût des aliments, mensonge ! On respire mieux, mensonge ! On dort mieux, mensonge ! L'homme vit un redémarrage de sa libido, mensonge !*

— *Tu es sûr ?*

— *Les deux seules vérités, ce sont de sensibles économies et la disparition de l'odeur du tabac. Surtout froid le matin.*

— *C'est tout ?*

— *Oui. Et donc, tant que je fume modérément, que je ne gêne pas trop les autres et que mon vice reste un vrai plaisir assumé, je ne vois pas pourquoi m'en priver. Un jour peut-être.*

— *Et si je te le demandais ?*

— *Pour toi, oui, j'arrêterais immédiatement. Surtout si tu étais enceinte.*

Pour beaucoup, le tabac n'a pas toujours été un problème, au contraire. En particulier la cigarette qui dans la première moitié du XXe siècle était le privilège d'une classe sociale cultivée et aisée. En conséquence, être fumeuse (de cigarettes) était signe de modernité et d'émancipation de la femme. Si à l'époque le doute était permis, on sait maintenant avec certitude que chez les femmes les méfaits du tabagisme sont encore plus graves que chez les hommes et pas seulement en raison des grossesses, nous l'avons déjà dit.

— *Tu es enceinte ? Tu sais Ophélie que je l'espère toujours autant interrogea-t-il sans se départir de son beau sourire.*

— *Non, pas du tout. Mais dis-moi Lionel, ta provoc à deux balles sur les mensonges du tabac, tu y crois un seul instant ?*

— *Bien sûr que non. Cela avoué, il faut bien que je justifie mon vice puisque je ne suis pas capable d'arrêter. Certainement faute de raison absolue.*

— *C'est quoi une raison absolue ?*

— *Pour un homme encore jeune, à propos du tabac j'en vois deux : la maladie grave ou l'arrivée d'une femme dans sa vie. La maladie, c'est évident, surtout grave. Une femme aussi, parce que pour séduire la femme qu'il désire ou pour garder celle qu'il aime un homme est capable de produire des efforts qu'il ne soupçonne pas lui-même.*

— *Autant de mauvaise foi en si peu de temps, c'est rare. Je sais que tu t'amuses avec ça. Mais fais attention, Lionel, bien des gens pourraient ne même pas se douter que tu fais exprès. C'est comme quand je te vois tricher avec tes convictions politiques. Là aussi, c'est contrariant.*

D'ordinaire, ce n'est pas parce qu'ils ne partageaient pas les mêmes idées politiques, elle plutôt à gauche, lui plutôt à droite, que Lionel et Ophélie ne parlaient pas de politique. Au contraire, c'était pour leur couple, en quelque sorte politiquement mixte, un sujet comme un autre. Chacun ayant démocratiquement droit à son opinion. Ils vivaient là une liberté de penser et une aisance de ton qui plaisait à Ophélie, volontiers vive et passionnée et qui convenait à Lionel, toujours calme, mais parfaitement résolu quant à ses idées et convictions. Un drôle d'équilibre, délicat, mais bien réel, installé dans leur couple avec leur ouverture d'esprit comme balancier. Dans le même ordre d'idée, on constate depuis quelques années en France, une légère amélioration de l'équilibre général entre femmes et hommes politiques, jusqu'alors placé sous nette dominance masculine. Cela dit, beaucoup reste à faire.

Ce à quoi faisait allusion Ophélie en disant à Lionel qu'il trichait avec ses convictions politiques, c'était sa capacité à moduler l'expression de ses idées en fonction de son interlocuteur de l'instant. Il partait en effet du principe tout à fait concevable, qu'en politique il est rarissime de convaincre un adversaire et l'amener à changer de camp. En conséquence de quoi, Lionel trouvait parfaitement inutile de se fatiguer et gaspiller de l'énergie à argumenter en vain. Une position dont Ophélie voulait bien convenir sur le principe, mais qu'elle n'aimait pas du tout dans les faits. Je comprends que par facilité certains puissent en arriver là, mais se comporter ainsi c'est baisser pavillon et je n'aime pas renoncer, disait-elle. De plus, en alignant nos propres idées sur celles de l'interlocuteur, on le manipule sournoisement. C'est une façon malhonnête de le mettre en confiance puis, ensuite, le pousser à en dire plus. En quelque sorte le pousser à se livrer malgré lui. Du coup, on ne le respecte même plus, on ne fait que le manipuler. Ce n'est pas très courageux.

— *Je te trouve bien sévère avec moi et bien remonté contre moi. Depuis quelque temps, c'est souvent que je t'énerve… mais tu es mon Ophélie.*
— *Je rentre il fait froid, dit-elle pour toute réponse, en remontant pour la troisième fois le col de sa veste.*
— *Attends. Ce que tu viens de dire à propos de mes supposées tricheries sur mes convictions politiques me fait penser à l'empathie ruineuse. Tu connais ?*
— *Non ! En revanche, je peux t'assurer que tes tricheries n'ont rien de supposé.*

Ignorant ce nouveau reproche, Lionel expliqua.

— Montrer de l'empathie envers quelqu'un c'est plutôt bien. Ressentir les émotions de l'autre, se mettre à sa place, mieux le comprendre et mieux s'en faire comprendre, c'est même très bien.

— Jusque-là, rien de nouveau, dit-elle manifestement agacée.

— J'y viens. Il arrive que trop d'empathie nuise. C'est-à-dire qu'à se montrer trop gentil on risque de ne pas oser dire ce qui devrait être dit.

— Et alors ?

— Du coup, l'autre à la place d'une critique susceptible de lui être utile, doit se contenter d'une tape amicale dans le dos. C'est cela, l'empathie ruineuse. La peur de déplaire, le risque de contrarier, la crainte de vexer nous font renoncer à la vérité.

— Si je te suis, tu proposes que l'on se méfie de trop de méfiance. C'est en effet sans doute intéressant, mais il est tard pour en parler. Tu vois Lionel, quand tu veux réfléchir tu y arrives, dit-elle d'un ton autant narquois que moqueur.

Ce soir-là, Lionel eut du mal à trouver le sommeil, contrarié par l'insistance avec laquelle sa compagne contrait ses pensées.

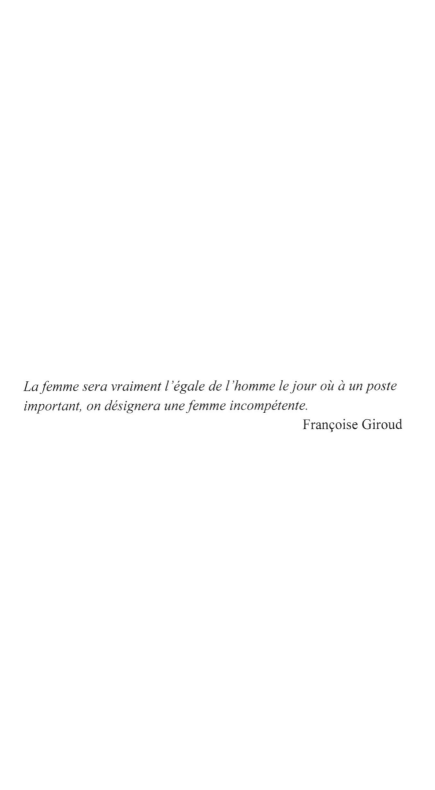

La femme sera vraiment l'égale de l'homme le jour où à un poste important, on désignera une femme incompétente.

Françoise Giroud

14

Fainéant, bête et peureux

Le livre qui tenait Ophélie en haleine depuis trois jours s'intitulait, Les dames du faubourg. C'était la saga historique, chargée d'amours, de drames et de joies, des ébénistes du faubourg Saint-Antoine. Un fabuleux roman sur la vie des femmes de cette grande artère parisienne entre les XVe et XVIIIe siècles. Que celles-ci soient abbesses, bourgeoises ou femmes d'ébénistes, elles réservaient bien des surprises au lecteur. Comme il était encore tôt dans la soirée et que visiblement ni l'un ni l'autre n'avait sommeil, Ophélie se proposa d'expliquer à Lionel celle de ces surprises qu'elle pensait la plus emblématique. L'invention de la commode par André-Charles Boulle, futur ébéniste de Louis XIV. Elle présenta la chose à Lionel à peu près comme le jeune Boulle lui-même l'aurait présenté à Rosine, sa petite fiancée. Celle qu'il n'épousa jamais à en croire le roman.

Dans un coffre, Rosine, quand on a besoin de quelque chose qui se trouve dans le fond, on soulève le couvercle et on sort tout. C'est idiot, c'est long et ce n'est pas pratique. Alors que moi, j'ai trouvé le moyen d'éviter ces inconvénients. Je supprime le couvercle et j'ouvre trois tiroirs sur le devant. Le contenu du coffre devient immédiatement et facilement accessible. Autre avantage Rosine, on peut poser des objets sur mon coffre. Au total, c'est bien plus commode. Maintenant que l'idée m'est venue, je vais fabriquer mon meuble à tiroirs, d'autres suivront sans doute. En tout cas, j'aurais été le premier à y penser. D'ailleurs, je me demande comment quelqu'un n'a pas été saisi de cette idée avant moi. C'est étonnant. Je crois que le coffre est une si vieille institution que personne n'a osé y apporter le moindre changement. Eh bien moi, j'oserai. La petite fiancée d'André-Charles Boulle était confondue ; une fois de plus admirative. Et encore, elle ignorait qu'un jour le meuble, Commode, serait aussi connu et recherché que le lit ou la table.

Après un instant de silence, Ophélie relança la conversation.

— *Je suis pressée de savoir comment la radio, la TV et surtout Le Canard vont traiter cette affaire de nuage radioactif, dit-elle.*
— *Le Canard ce n'est pas avant mercredi, nous sommes vendredi soir, d'ici là il peut s'en passer des choses, répondit Lionel.*
— *Mais Lionel, tu n'as pas l'air de te rendre compte que cette catastrophe est un truc « archimajeur ». On en parlera encore dans un siècle.*

La catastrophe nucléaire de Tchernobyl en 1986 est l'accident nucléaire majeur le plus grave du XXe siècle, surpassant par ses impacts environnementaux immédiats, l'accident survenu, plus tard, en 2011 à Fukushima au Japon. Sur le réacteur de Tchernobyl l'augmentation incontrôlée de la puissance, a conduit à la fusion du cœur, libérant d'importantes quantités d'éléments radioactifs dans l'atmosphère. Depuis sa survenue, les conséquences de cette catastrophe font débat. D'autant que la Centrale de Tchernobyl a refait parler d'elle en 2022 pour son occupation par l'armée russe lors de la guerre Ukraine Russie.

Ophélie reprit.

— *Ce qu'en disent les journaux, ce n'est rien à côté de ce que l'on m'a dit.*
— *Ce que l'on t'a dit ou les bribes de conversation que tu as saisies ? Ce n'est pas pareil.*
— *Oui, je sais.*
— *Dans le premier cas c'est une confidence, dans ton cas ce sont plutôt des bouts de phrases pris à la volée.*

— *Oui, je connais la différence. Merci. Disons, d'après ce que je sais,* rétorqua-t-elle plus nerveuse que jamais et d'un ton suffisamment vif pour que Lionel préférât ne pas insister.

Comme il ne réagissait pas, elle enchaîna.

— *Des millions de personnes vont devoir vivre sur un sol contaminé en affrontant comme elles pourront les conséquences de la radioactivité sur leur santé. D'autres vont participer à la décontamination, au péril de leur vie. Quant aux dégâts sur l'environnement, ils seront majeurs et irréversibles.*

— *Eh bien ce que tu sais, Ophélie, ce que tu m'as dit de cette catastrophe, nous allons le garder pour nous. Laissons aux autorités concernées, le soin d'assumer leurs responsabilités.*

— *Ce n'est pas possible. On n'a pas le droit de ne rien faire.*

— *Ce n'est même pas en France que l'accident s'est produit. D'accord, la météo n'a pas de frontières, mais justement que pouvons-nous y faire ? Tu peux me dire ?*

— *Non, je n'arrive pas à le dire. Pour une fois que je parle de ce que je vis au travail, tu pourrais au moins m'écouter,* s'énerva-t-elle à nouveau.

— *J'écoute Ophélie.*

— *Lionel, c'est important. C'est important pour moi. Tu peux comprendre ça ?*

— *Ophélie, depuis deux jours je ne fais que t'écouter.*

— *Ah ! toi et le cœur féminin.*

— *J'ai écouté. J'ai aussi répondu. Mais il se trouve qu'on est là en week-end à la campagne, on n'est pas là pour se mettre la rate au court-bouillon en mélangeant ton boulot et un problème international auquel nous ne pouvons rien. Mais qu'est-ce qu'il t'arrive Ophélie, je ne te reconnais plus.*

Elle resta muette.

— *C'est extraordinaire. On croirait que Tchernobyl te concerne personnellement, ajouta Lionel, sans trop savoir lui-même ce que pouvait bien signifier cette réplique aux allures de question.*

À nouveau, elle se tut.

— *Alors moi je vais te dire un truc. Demain, on joue au tennis. Tu te souviens au moins ? J'aimerais être en forme. Pour ce soir, je vais écrire encore un peu puis, dodo. Et si dans la nuit tu ne dors pas, n'hésite pas à venir m'en parler, ajouta-t-il d'un air résolument coquin.*

Lionel espérait qu'Ophélie se ressaisisse, en réaction à ce qu'il venait de dire sur le comportement indéchiffrable dont elle faisait preuve depuis son arrivée. Aussi, c'est l'esprit un peu plus tranquille, dans le calme de la chambre qui lui servait de bureau qu'il laissa son imagination vagabonder suffisamment loin pour qu'elle l'entraîne vers un nouveau terrain, dans un domaine assez inattendu, celui de l'entretien de recrutement. L'idée lui était venue assez vite, parmi d'autres. Pourquoi l'entretien ? Pourquoi l'entretien de recrutement ? Il n'en savait rien, et à vrai dire cela n'avait que peu d'importance. Ou alors, c'était pour avoir récemment appris que depuis peu, la SNCF et la RATP soutenues par le gouvernement, et malgré quelques critiques faisant état de discrimination positive à l'embauche, ouvrent des sessions de recrutement réservées aux femmes. L'offre porte sur plusieurs dizaines d'emplois de Technicienne de maintenance, d'Agente d'escale, de Monteuse de câbles électriques et d'Agente de sûreté, des métiers jusqu'ici réputés masculins. En revanche, ce dont Lionel était sûr pour l'avoir personnellement vécu, c'est que lors d'un entretien de recrutement, celui des deux protagonistes dont le sort dépend de l'autre, c'est-à-dire le candidat ou la candidate, peut se mettre à jouer l'originalité dans l'intention de distancer la concurrence. C'est cette forme de non-conformisme qu'il avait l'intention de pousser à fond, et ceci dès le début du fragment d'entretien qu'il s'apprêtait à écrire. Pour cela, il commencerait par un titre-choc assorti d'un point d'exclamation : Fainéant, Bête et Peureux ! Bien parti dans son « délire-contrôlé » Lionel se trouva vite satisfait du résultat.

124

Fainéant, Bête, Peureux !

Le recruteur — Pour finir, question classique me direz-vous. Quelles sont vos qualités ?

Le candidat — Mes qualités ? Je suis fainéant… bête… peureux.

Recruteur — Vous êtes sûr ? Vous pouvez développer ?

Candidat — Oui. Fainéant de sorte que chaque fois que possible je délègue, ce qui n'offre que des avantages lorsque la délégation est bien faite et bien suivie : susciter l'intérêt des collaborateurs en les impliquant et aussi récupérer du temps pour soi-même, à consacrer à l'essentiel.

Recruteur — Vu comme ça, en effet… Et bête ?

Candidat	Oui, bête au point de me satisfaire d'idées simples. Celles les plus immédiatement et les plus sûrement opérationnelles. Vous recrutez un opérationnel, je suis opérationnel.
Recruteur	Et pour peureux vous allez me dire… ?
Candidat	Je dis simplement que j'ai toutes les peurs et qu'à la fin, je n'en ai plus aucune. Oui, je suis prêt à y aller, à foncer. Prêt à être efficace.
Recruteur	Vous me semblez résolu. Nous allons discuter de votre candidature. On vous écrira rapidement. Euh… pas de quiproquo, quand je dis, on vous écrira, ce n'est pas qu'une formule [léger sourire].

Ah ! mon frère, une femme aisément d'un mari peut bien surprendre l'âme.

Tartuffe, Molière

15
C'est beau une femme !

Il était encore tôt, un petit vent du sud taquinait la chaleur matinale qui allait en augmentant. Quelques nuages parsemaient le ciel bleu. Lionel avait peu dormi, mais très bien. Une fois de plus, il laissait aller son esprit quelque part entre souvenirs, créativité, imagination et innovation. Un programme chargé dès le saut du lit, dont tout l'intérêt était cette fois encore de créer, faire naître, trouver, lancer de nouvelles idées.

Les statistiques en attestent, les femmes ne sont ni plus ni moins créatives que les hommes. Alors, comment expliquer qu'au niveau mondial on a longtemps constaté que pratiquement seuls les hommes faisaient valoir leurs droits à propriété intellectuelle (brevet, certificat d'utilité, dépôt de recherche…) ? Sans aucun doute et tout simplement parce que pendant longtemps les hommes ont usé et même abusé de leur pouvoir pour s'emparer de toute création, invention ou découverte. Cette accaparation illégitime est appelée « effet Matilda » depuis qu'une étude américaine en a attesté au début des années 1970. Nous en dirons un mot plus loin. Ceci précisé on peut noter que les mots, créativité, imagination et innovation, s'ils sont proches ne sont pas tout à fait les mêmes : la créativité fait appel à l'imagination alors que l'innovation suppose une exécution, une mise en œuvre.

En marge des séances régulières de vagabondages intellectuels, dont nous venons de parler, celles qui lui permettaient de faire naître les nouvelles idées dont il avait besoin, un des souvenirs les plus marquants de Lionel, parmi ceux qui ressurgissaient régulièrement, datait de son service militaire. Une obligation qui n'a duré que les quelques jours nécessaires pour expliquer aux autorités que Brigitte attendait un bébé et qu'il en était le futur père. Mais une période qui pour courte qu'elle fût, lui avait été des plus formatrices en ce début de l'âge adulte. Ce moment où généralement, que nous soyons un homme ou une femme, nous vivons nos premières expériences de vie réelle. À cette époque donc, Lionel avait sympathisé avec un garçon sensiblement dans la même situation que lui. Il ne se souvenait ni du nom, ni même du prénom de ce camarade du moment, mais seulement de son existence et surtout de ses belles répliques. Une en particulier qu'il répétait presque en boucle : Lionel, c'est beau une femme ! Une affirmation indubitablement vraie de leurs points de vue respectifs, qui était à la fois un constat et une taquinerie. Une taquinerie, car comme troufions ils n'avaient ni l'un, ni l'autre, ni le loisir, ni les moyens de se tourner vers les femmes. Un constat aussi, celui que font depuis toujours les jeunes hommes en s'éveillant à la vie. En ce matin de mai, Lionel regardait Ophélie aussi discrètement que possible, craignant qu'en se sentant observée elle modifie, consciemment ou pas, son attitude. Mais il la regardait avec suffisamment d'amour pour ne perdre aucun détail.

Dans de telles circonstances, comment expliquer que l'on puisse se sentir observé ? Comment expliquer qu'il nous arrive quelquefois de deviner qu'un regard est posé sur nous ?

À en croire les scientifiques, cette sensation tient au fait que notre vision périphérique est bien plus performante que celle centrale : jusqu'à cent images par seconde, contre trois ou quatre en vision centrale (vision fovéale). Avec un tel afflux d'informations, la vision périphérique détecte presque tout mouvement latéral. Le cerveau commande alors à la tête de se tourner pour permettre à la vision centrale de confirmer (ou pas), cette première impression. Si à cet instant on croise un regard, on est alors conscient d'avoir tourné la tête, mais sans forcément savoir pourquoi. D'où cette fausse sensation que l'on peut alors éprouver, suivant laquelle on a tourné la tête parce que l'on sentait un regard sur nous.

À la suite de ce premier éclaircissement, une seconde interrogation peut émerger : Comment expliquer aussi l'aptitude qu'ont de nombreuses femmes à percevoir leur environnement plus rapidement et plus complètement que la plupart des hommes ?

Le même copain, décidément trop vite perdu de vue tant le souvenir de sa compagnie reste aujourd'hui encore autant présent que plaisant, développait toute une théorie sur la question. Il se plaisait à expliquer le phénomène sous forme d'une anecdote un brin caricaturale. Étudions la situation, disait-il pour commencer. Admettons qu'un homme entre dans un établissement. Il n'a encore rien vu de précis si ce n'est une chevelure *a priori* féminine plus ou moins susceptible d'attirer son attention. Eh bien, on ne sait dire par quel mystère, la propriétaire de la chevelure en question a déjà senti qu'elle l'intéressait. Cela alors que lui-même ne le sait pas encore. Pourquoi ? Comment ? Il est possible qu'un jour vienne où la science expliquera ce phénomène, qui ressemble à de la télépathie, prédisait le copain en esquissant alors une théorie dont Lionel avait le souvenir suivant. Il existe chez les humains, peut être encore plus chez les femmes que chez les hommes, une forme d'intelligence des intuitions. Ce « sixième sens féminin » — si tant est qu'il existe vraiment —, trouve probablement ses origines dans les méandres culturels de notre civilisation judéo-chrétienne, mais aussi dans les arcanes d'autres civilisations. Car les femmes en général, quel que soit le pays et quelles que soient la culture, la religion ou l'époque, ont toujours su et savent toujours – en tout cas savent bien mieux et bien plus vite que la plupart des hommes — prendre en compte et gérer intelligemment leurs intuitions.

Au-delà de l'exemple passablement parodique donné par le copain de Lionel, à l'époque déjà certains scientifiques mettaient en avant le caractère multidimensionnel de l'intelligence humaine. Notamment en considérant comme bien réelle l'intelligence des intuitions, alors décrite comme une forme d'intelligence alimentée par des informations sensorielles suffisamment captées par notre cerveau pour influer sur nos comportements. Mais pas au point toutefois de parvenir jusqu'à notre conscience. L'intuition de chacun pouvant se ressentir soit par une petite voix intérieure qui prodigue un conseil, soit par une franche certitude qui s'impose d'elle-même. Dès lors, les uns ont appris à prendre en compte leurs intuitions dans leur propre processus de réflexion, telle une alliée à « apprivoiser », pendant que les autres n'ont pas eu l'occasion d'y porter cas. Quelques autres encore, partisans de la doctrine selon laquelle tout ce qui existe s'explique rationnellement, mais n'ayant jamais eu l'opportunité de voir l'intuition autrement qu'irrationnelle, n'y trouvent aucun intérêt.

Avec Ophélie auprès de lui, Lionel voyait passer les années en restant toujours autant fier d'elle et fier d'avoir été choisi par elle. Il était heureux, toujours amoureux et sûr de la réciproque. Elle était la première femme avec laquelle il ressentait que tout leur était acquis, à condition qu'ils soient ensemble : non seulement elle était belle, mais il n'y a qu'auprès d'elle qu'il se sentait bien ; leurs secrets les plus intimes n'étaient plus des secrets, puisque systématiquement partagés ; ils n'imaginaient l'avenir qu'à deux ; elle savait tout de son passé, et lui du sien. Lionel en était là de ses pérégrinations mentales lorsque la sonnerie du téléphone le replongea dans le présent. Coup de chance, c'était Amandine.

— *Papa, c'est moi !*
— *Oui ma chérie, c'est gentil de me téléphoner.*
— *Maman veut te parler, elle n'avait pas le temps l'autre matin.*
— *D'accord. Dis-moi d'abord Amandine, cette sortie en bateau ?*

— *C'est un beau bateau qu'il a maintenant, Gérard. On est allé loin, on ne voyait plus la terre. J'étais contente et j'avais un peu peur aussi. Et puis tu sais quoi ?*

— *Dis-moi vite ma grande.*

— *Quand on est revenu, on a croisé un sous-marin qui n'était pas sous l'eau, mais quand même on ne voyait personne dessus. C'est drôle ça, Papa, dit-elle d'une voix rentrée à l'accent légèrement mystérieux.*

— *Oui, c'est en effet bien curieux, ma chérie. Il était certainement piloté depuis l'intérieur à l'aide de moyens spéciaux.*

Mais cette explication qui présentait l'inconvénient de lever une part du mystère, n'intéressa que très modérément la fillette.

— *Tu sais papa ma casquette était bien utile, avec tout ce soleil, j'ai bien fait de la gagner, dit Amandine le rire dans la voix. Bon papa, je t'embrasse, je te passe maman. Eh, papa, papa j'vais avoir un petit frère !*

— *...*

— *Allô Lionel ? Eh bien oui, Amandine ne sera plus seule. Je suis enceinte. Je tenais à te l'annoncer moi-même.*

— *C'est un garçon Brigitte ?*

— *Euh… non… on n'sait pas exactement… Amandine s'est mis en tête un petit frère, mais rien n'est sûr. Tu te souviens quand je l'attendais, d'après le médecin de l'époque c'était une fille, mais avec de telles réserves que finalement… c'était aussi un garçon, plaisanta Brigitte.*

— *Oui, je me souviens. On en avait même plaisanté, à l'époque.*

— *En tout cas, fille ou garçon, Amandine est heureuse. Gérard et moi aussi. Tout va bien pour nous trois.*

Ce n'est qu'à la fin des années 1970 que le suivi échographique de la femme enceinte s'est généralisé. Précédemment, c'est en écoutant avec leur stéthoscope les battements de cœur du fœtus que les sage-femmes et obstétriciens formulaient une prévision sur le sexe du futur bébé. Le cœur des garçons battant plus vite que celui des filles, disaient-ils. Beaucoup de praticiens se réservaient alors une porte de sortie en donnant un pourcentage d'erreur. Ce qui pouvait étonnamment se traduire par le genre d'annonce suivante, pour ne pas dire de pronostic : C'est à 90 % un garçon.

— *Tu es enceinte, c'est bien. Oui, mes félicitations. Ophélie est à côté de moi, elle voudrait dire un mot à Amandine.*

Ce fut au tour d'Ophélie de parler à Amandine, un peu comme une grande sœur parlerait à la plus jeune, pendant que Lionel accusait le coup en essayant de ne pas trop le montrer. Bien que sincèrement heureux pour Amandine et pour Brigitte, lui qui aurait tant voulu être à nouveau papa, allait devoir digérer aussi vite et aussi complètement que possible, cette nouvelle réalité.

— *Bonjour Amandine.*
— *Bonjour Ophélie.*
— *Papa m'a dit pour la sortie en bateau. C'est formidable !*
— *Oui, c'était vraiment bien. On va y retourner plusieurs fois, avant que maman ne puisse plus. Elle m'a expliqué qu'avec le bébé pendant quelque temps ce ne sera pas possible.*
— *Oui bien sûr, c'est normal. Dis, Amandine, tu as trouvé le livre que tu voulais, celui du Petit Nicolas en vacances ?*
— *Non ! Pas encore.*
— *Si tu veux, je l'achète et te l'envoie.*
— *Oh oui ! D'accord Ophélie.*
— *Sinon tout se passe bien à l'école ?*
— *Oui, oui, tout va bien. Enfin, tout sauf la géométrie. J'ai du mal en géométrie.*
— *Accroche-toi ma grande, c'est important aussi. Je crois qu'en géométrie comme ailleurs il faut comprendre bien sûr, mais il faut aussi apprendre. Apprendre par exemple les définitions et aussi quelques théorèmes... tu vois ce que je veux dire Amandine ?*

— Oui, je sais Ophélie. Dis Ophélie, pour les prochaines vacances à Paris on pourra aller au cinéma ? J'aimerais voir, Retour vers le futur.

— Les prochaines vacances c'est dans trois semaines… euh… je ne serai peut-être pas libre, mais papa devrait pouvoir t'y emmener. Je m'occupe du livre et pour le ciné je me renseigne sur les horaires. D'accord Amandine ?

— D'accord Ophélie.

— Bise ma grande, à bientôt.

— Bise Ophélie.

Lionel avait beau se dire et se redire que la situation s'y prêtait, on ne peut mieux, Gérard le compagnon de Brigitte étant fortuné encore jeune et sans enfant, il n'arrivait pas à réfréner ce soupçon de jalousie, qui quelquefois suffit à nous gâcher la vie. Lionel était heureux, surtout pour Amandine qui ne serait plus seule. Il l'était aussi pour Brigitte, mais il avait du mal à l'être pour Gérard. Peut-être parce qu'il le connaissait moins. Certainement en raison de ce vieux reste de rancune envers celui qui d'un seul geste, lui avait piqué à la fois sa compagne et sa fille pour les exiler à un millier de kilomètres. D'ailleurs, un jour au début de leur vie commune, Lionel avait dit à Ophélie, « Ce Gérard, je l'ai à l'œil. Il ne faudrait pas qu'il se rate ou qu'il rate quelque chose. Brigitte, je la sais assez forte pour se défendre et assez présente et courageuse pour défendre sa fille bec et ongles s'il le fallait. Mais je l'ai à l'œil le Gérard ». À l'époque, bien que surprise, Ophélie n'avait pas cherché à comprendre plus loin. D'autant qu'avoir à l'œil Gérard ne voulait pas dire grand-chose tant du point de vue du contexte que de celui de la distance.

Avec le temps écoulé, Lionel avait su par Amandine, sans même avoir à le lui demander, que Gérard partait tôt et rentrait tard ; qu'il travaillait avec des architectes et des maçons ; qu'à la maison une dame s'occupait des courses, du ménage et de la cuisine ; que cette dame était très gentille, qu'elle s'appelait Martine et que Gérard aussi était gentil. Lionel en avait déduit que Gérard travaillait probablement dans le bâtiment. Peut-être comme architecte, pourquoi pas promoteur. D'autant qu'il vivait dans l'aisance. Quant à Gérard lui-même, Lionel l'avait croisé une fois ou deux en venant chercher ou en raccompagnant Amandine, quand elle était plus petite, ils s'étaient serré la main, sans plus. Depuis, Amandine faisait le voyage Paris-Nice, et retour, seule en avion, avec une étiquette UM [3] autour du cou. L'une des premières fois, elle devait avoir quatre ans et demi ou cinq ans, en arrivant à Orly Amandine avait dit à Lionel et Ophélie : C'est fou, j'ai regardé par la fenêtre de l'avion et tous les nuages étaient tombés par terre. Lionel l'avait répété à Brigitte et tout le monde avait apprécié la perspicacité de cette toute jeune demoiselle. Et on avait beaucoup ri.

Selon l'Organisation de l'aviation civile internationale, et malgré le ralentissement de l'économie que nous traversons, dans le monde la pénurie de pilotes menace depuis plusieurs années. Pourtant les femmes ont autant de capacités que les hommes pour piloter. En revanche, trop de jeunes filles doutent de leur légitimité dans un cockpit. Il est vrai que nous voyons encore souvent l'image d'un homme pilote et d'une femme hôtesse de l'air, jamais l'inverse. Probablement que la société, les parents et les enseignants se sont livrés à une censure, certainement inconsciente, qu'il va falloir corriger : là, comme ailleurs, les jeunes femmes ont besoin de modèles pour se lancer. Même s'il est vrai que quelques pionnières ont joué un rôle important dans l'histoire de l'aviation, tant civile que militaire, les femmes peinent toujours à s'imposer dans les cockpits des avions de ligne. Dans certaines compagnies asiatiques, la proportion de pilotes féminins est même proche de zéro. À l'inverse, au niveau mondial, Air France occupe une place honorable, avec près de 9 % de femmes au poste de commandant de bord.

---

[3]. Sigle utilisé par les compagnies aériennes pour reconnaître les mineurs lorsqu'ils voyagent seuls (Unaccompanied Minor).

Chaque femme contient un secret : un accent, un geste, un silence, un regard.

Antoine de Saint-Exupéry

16
L'enfant du bonheur

Le jour où Brigitte lui avait appris qu'elle avait rencontré un autre homme, qu'elle en était amoureuse et partait vivre avec lui à Nice en emmenant leur fille encore toute petite, Lionel avait pris une gifle magistrale. Il ne s'y attendait pas. C'était allé trop vite et trop loin pour lui. En réalité, il n'avait rien vu venir, sans doute par manque d'attention envers sa compagne. D'ailleurs des années plus tard, et malgré tout l'amour d'Ophélie, il lui arrivait encore de penser à cette vilaine période de sa vie. Il était tombé dans le piège de la routine qui émousse les impressions, celui des habitudes tueuses de sentiments. Ophélie savait tout cela et bien plus encore. Elle savait que se séparer, se quitter, partir et *a fortiori* se faire larguer soudainement, bref, vivre la fin d'une histoire, quoi que l'on en pense et quoi que l'on en dise, reste un déchirement plus ou moins violent auquel on ne s'habitue jamais. D'autant qu'une rupture amoureuse peut avoir un impact important non seulement sur l'esprit, les émotions, le moral, mais aussi sur le corps. Ce peut être par exemple la faim, c'est-à-dire la boulimie ou l'inverse, la nausée coupant l'envie de manger devant les aliments. Une séparation peut aussi provoquer de vraies douleurs physiques, la douleur émotionnelle activant les mêmes zones du cerveau que la douleur physique. La tristesse et le stress de la rupture peuvent encore provoquer des pertes de cheveux, des insomnies ou des problèmes digestifs. On le voit bien ici, s'il est vrai que le bonheur de chaque rencontre amoureuse est unique, il est certain que la blessure, plus ou moins profonde, de chaque séparation l'est aussi.

Brigitte avait tout juste vingt ans et Lionel à peine plus lorsqu'ils se sont connus et aimés. Chacun encore étudiant vivait chez ses parents jusqu'au jour où Brigitte, rayonnante de bonheur, avait appris à Lionel sa grossesse, ajoutant immédiatement qu'elle garderait leur enfant quoi qu'il arrive. L'enfant de l'homme qu'elle aimait, disait-elle alors à qui voulait l'entendre. Présentée de la sorte la situation ne laissait que peu de choix à Lionel, d'autant qu'à l'époque il n'attendait que cela pour partager tout ce bonheur. En apprenant la nouvelle, leurs parents respectifs avaient eu non seulement l'intelligence de bien réagir, mais aussi la bonne idée de leur faciliter les choses : Nous allons vous aider, l'un et l'autre, jusqu'à ce que vous ayez une situation, avaient dit les parents de Lionel. Installez-vous dans le studio du rez-de-chaussée, avaient proposé ceux de Brigitte.

Au printemps suivant, Amandine avait six mois. La mère de Brigitte, celle de Lionel et sa sœur la Tante Berthe qui prêtait sans compter sa maison de campagne, avaient organisé le baptême de leur petite-fille. Afin d'immortaliser l'événement, le père de Brigitte s'était ruiné en équipements de cinéma amateur, Super 8, encore muet en ce milieu des années 1970. Quant à Berthe, cette fois pas en tant que tante, mais au titre de marraine de Lionel, Berthe donc, avait réquisitionné le seul hôtel du village. L'idée étant d'y loger les invités puisqu'il était prévu non seulement qu'ils soient nombreux, mais aussi que la fête se poursuive tout un week-end. Conformément à son nom, l'Hôtel Moderne avait été rénové et madame Bruneau bien que maintenant âgée, en était encore la gérante. Une des marottes de cette dernière interrogeait singulièrement les femmes de chambres qui se demandaient pourquoi depuis toujours, la patronne attachait une telle importance au rangement des aspirateurs ? Comme s'il s'agissait d'équipements d'une extrême valeur. Le parrain et la marraine d'Amandine quant à eux, représentaient on ne peut mieux l'avenir : le jeune frère de papa, Quentin, et la jeune sœur de maman, Charlotte. On le voit bien ici, aucun doute n'était permis, Amandine était bien l'enfant de l'amour, l'enfant du bonheur. C'est après le repas de baptême, dans la douceur d'un après-midi de mai suffisamment ensoleillé pour que l'on sorte les chaises longues, que la Tante Berthe avait entraîné Lionel au bord de la rivière, à l'écart des convives qui lézardaient au soleil.

— *Lionel tu le sais, tu es l'enfant que nous n'avons pas eu ton oncle et moi. Il est tout naturel que cette maison te revienne. Nous l'avions décidé avec André de son vivant, le moment est venu, maintenant que tu es papa.*

— *Merci ma Tante, c'est bien plus que très gentil. Pour moi, ce week-end n'est fait que de bonnes choses. C'est en grande partie grâce à Maman et toi.*

— *J'ai vu le notaire, tout est en ordre. Je te laisse la maison, les frais sont à ma charge et je te laisserai aussi de quoi entretenir ta propriété un bon bout de temps. Tout est prévu.*

— *Merci encore, mais rien ne presse, tu sais.*

— *Si, si ! Pour ces choses-là, on ne s'y prend jamais assez tôt. Dans moins de deux ans, je serai en retraite, j'ai l'intention d'en profiter plutôt deux fois qu'une. Puisque j'en ai les moyens, je voyagerai à la découverte du monde.*

— *Tu as bien raison.*

— *Tu sais Lionel, j'ai vu dans ma vie trop de gens qui pourtant semblaient intelligents se comporter comme des idiots en négligeant de mettre de l'ordre dans leurs affaires.*

— *Oui... mais... heu.*

— *Pire ! Si les descendants sont amenés à devoir se débrouiller, au minimum ils se disputent. Certains se fâchent.*

— *C'est à ce point ?*

— *Oui. La mort des uns réveille les vrais caractères des autres. Ton oncle André disait, souvent le départ de proches démasque la rapacité au gain de ceux qui restent.*

— *C'est triste.*

— *C'est triste, mais c'est ainsi. Il m'avait prévenu : Berthe, il faudra prendre les devants, m'avait-il dit quand il est tombé malade.*

Elle se tut un instant. Puis, levant les yeux au ciel :

— *C'est fait André, sois tranquille. Les enfants vont pouvoir profiter de ce qui leur revient. Pendant ce temps, je vivrais pleinement ma retraite dans ton souvenir.*

Lionel, autant surpris que gêné, resta un moment silencieux. Il savait sa Tante très croyante, mais il ne l'avait encore jamais vue parler à l'au-delà. Puis dépassant son trouble, il enchaîna.

— *Merci à vous deux. Vous ne pouviez pas me faire plus plaisir. Cette maison, cette région, c'est là que sont mes vraies racines, bien plus qu'à Paris. Marraine, laisse-moi t'embrasser.*
— *Volontiers, fiston.*
— *Cela me fait du bien de savoir que dorénavant quoi qu'il arrive, cet endroit restera à la fois mon ailleurs, mon refuge et mon chez-moi.*

Lionel cherchant à sortir du pathos lança soudainement.

— *J'y pense ! en parlant de racines, j'ai lu que c'est depuis le temps des nomades, où il fallait garder en mémoire les lieux de pâturage, que l'on attache de l'importance à connaître l'endroit où l'on se trouve.*
— *C'est intéressant ce que tu me dis là, Lionel.*
— *Je savais que ça t'intéresserait Marraine.*
— *À mon avis, c'est exact. Je rechercherai et je te dirai.*

À l'époque pour le grand public, Internet n'était même pas un lointain projet. Ce genre de recherche sur les habitudes des nomades pouvait nécessiter des heures de travail en bibliothèque.

— *Un dernier mot à te dire Lionel, puis on ira rejoindre les autres. J'ai mis ta mère au courant en premier, en lui demandant de garder le secret. Je tenais à te l'annoncer moi-même. J'en ai profité pour lui dire qu'elle ne sera pas oubliée, ton frère Quentin non plus. Tu t'en doutes, ma sœur était ravie pour elle et peut être encore plus pour vous deux.*

Les femmes n'ont point de plus grand ennemi que les femmes[4].

Charles Pino Duclos

---

[4]. C'est faire peu de cas de la solidarité féminine, pour ne pas dire la sororité. À sa décharge, on notera que cet écrivain, historien et ancien Maire de Dinan, vivait au début du XVIIIe siècle.

17

Les childfree

Dans la France des années quatre-vingt, la loi relative à l'interruption volontaire de grossesse n'avait pas dix ans et les baby-boomers la trentaine. C'est-à-dire l'âge et généralement les moyens, le pays vivant le plein emploi, de devenir à leur tour parents. Malgré cet état de fait et malgré la première loi, dite Roudy, de 1983, sur l'égalité entre les hommes et les femmes, la notion d'égalité professionnelle – comme d'ailleurs celle d'égalité tout court –, n'était pas au rendez-vous. Dans ces conditions, Ophélie, qui au grand désespoir de sa propre mère ne voulait pas d'enfant, passait pour égoïste. Et même si elle justifiait ostensiblement son choix en disant ne pas vouloir faire un enfant pour les autres ni chercher à avoir un enfant juste pour rentrer dans le moule, elle restait aux yeux de beaucoup franchement contestataire et même pour certains, carrément immature. Depuis les années passant, certaines de ces femmes qui rêvaient alors d'égalitarisme, d'émancipation et qui craignaient qu'avoir un enfant les soumette à un homme, regrettent leur décision. Avec le recul, nombreuses sont celles qui avouent : Dans les faits, ce n'est pas moi qui ai choisi de ne pas être mère, mais le mouvement féministe auquel j'adhérais à l'époque. Les circonstances du moment, c'est-à-dire, ma mère « apprentie féministe », mon père que je n'ai pas connu, la mode post-soixante-huitarde, ont fait le reste. La jeune femme que j'étais a enfoui son désir d'enfant sans trop le savoir elle-même. Je le regrette amèrement pour nous trois : celle que j'étais, l'enfant que je n'ai pas eu, et forcément moi-même !

On a là un authentique sujet de débat des plus intéressant sur lequel, au fil des décennies les positions ont souvent fluctuées.

De nos jours, de plus en plus de personnes affirment leur choix de ne pas avoir d'enfants, qu'elles se nomment childfree (libres d'enfants) ou non. Elles ne justifient pas ce choix par des contraintes personnelles ou professionnelles, comme le faisaient certaines femmes dans les années quatre-vingt. Au contraire, elles exposent les raisons qui les ont conduites à cette décision. Certains opposants à ce choix y voient une tentative de se rassurer sur une question qui relève davantage des sentiments que de la logique. Quoi qu'il en soit, en ce début des années deux mille vingt, une Européenne sur sept, soit 14 % des femmes en âge de procréer, s'y refuse. Un creux rarement atteint, que l'on doit tout d'abord à la montée de l'individualisme ambiant. Lui-même venu par capillarité, depuis le monde de l'entreprise où jusqu'à présent l'individualisme triomphait. Une baisse significative des naissances, qui frappe les pays riches, et que nous devons aussi à l'enchaînement incessant de catastrophes, crises, affaires, scandales, pandémies et autres annexions ou putschs préfigurant une guerre. En vérité, c'est une incessante succession de difficultés qui n'incite pas à s'engager comme parent pour une vingtaine d'années au bas mot. La baisse des naissances est en outre l'une des conséquences directes de l'ambiance mondialement morose et écologiquement alarmante. Elle est enfin, en lien avec la contraception facilitant la décision des femmes des pays riches de ne pas avoir d'enfant.

Cette tendance à ne plus devenir père ou mère s'observe dans toutes les sociétés avancées. Elle n'a jamais été forte à ce point et répond à des logiques différentes, selon qu'il s'agit d'hommes ou de femmes, les uns et les autres n'étant pas placés devant la même injonction de procréer. En réalité, il semblerait qu'une autre nouveauté est que, maintenant de nombreux hommes choisissent eux aussi de ne pas avoir d'enfant. Mais cette tendance encore récente reste à étudier de près afin d'en déterminer l'évolution exacte. D'ailleurs au Japon, pays où la baisse de natalité provoque la désertification des campagnes et des difficultés préoccupantes de main-d'œuvre, des responsables politiques, ainsi que des médias et aussi une part de l'opinion en sont encore à imputer la situation exclusivement aux femmes. Ces dernières, craignant d'être prises pour bouc-émissaires, tentent de s'en défendre comme elles peuvent, notamment sur les réseaux sociaux. Quelques chercheurs les soutiennent en dénonçant la sévérité persistante des conditions économiques et le découragement des couples face à l'insuffisance de moyens de garde.

— *Nous sommes dimanche, c'est jour de marché et il est neuf heures, lança Ophélie, ajoutant, on se débarbouille et on y va. T'es d'accord ?*

— *D'accord ! on ne va pas rater ce marché. Mais prenons le temps, ajouta Lionel.*

— *Il y aura certainement du nouveau dans le journal, lui répondit-elle.*

— *Ophélie, je t'en prie, laisse cette histoire de radioactivité. C'est pénible, crois-moi.*

— *Je recommence parce que c'est important pour moi. Je crois bien te l'avoir déjà dit, non ?*

Elle ménagea une pause pour que son affirmation pût produire tout son effet.

— *Tu me coupes sans cesse la parole, tu ne me prends pas au sérieux et tu ne m'écoutes même pas. C'là aussi, je te l'ai déjà dit et répété.*

— *Bon.*

— *Non, pas bon ! Pour moi, m'inquiéter du sort des autres n'a rien de pénible, crois-moi.*

Lionel trouva injuste le reproche qu'elle lui faisait à nouveau, de mal écouter, mais préféra ne pas relever. Pour dépasser son désappointement il choisit tout en commençant à se raser, de fouiller dans sa mémoire pour en ressortir un souvenir heureux. Il tenait là un dérivatif facile à mettre en œuvre, dès lors que l'on considère les bons souvenirs non pas comme source de nostalgie, mais comme un réservoir de bonheur. Assez vite, il se retrouva vacancier en Corse, quelques années plus tôt. Là, il avait avec lui le soleil, la mer et l'amour qui vont ensemble quand on ne quitte le lit que pour la piscine, la plage ou la terrasse. Quand on ne voit rien d'autre, elle, que lui, et lui, elle. Quand le reste du monde n'est qu'un décor à peine existant. Ces journées uniques et inoubliables d'où l'on revient bronzé à souhait, heureux et léger.

Notons pour finir que même s'ils sont proches, les mots souvenir et mémoire ont des significations sensiblement différentes. La mémoire est un processus (apprentissage / stockage / rappel) le souvenir en est le résultat. D'après une récente étude américaine, les femmes sont capables de mémoriser plus de détails en matière de relations sociales auxquelles elles accordent une plus grande importance, que ne le font les hommes. Pour cette raison, on peut avancer qu'hommes et femmes voient le monde assez différemment et que globalement les femmes se souviennent encore mieux de ce qu'elles vivent. Cela dit, la mémoire reste une faculté complexe et soumise à de nombreux facteurs de variation. Ainsi, pour une même personne la capacité de mémorisation peut varier suivant la nécessité et suivant son état d'attention, de vigilance, de concentration... de fatigue...

Un homme qui pense à une femme, non comme complément d'un sexe, mais au sexe comme complément d'une femme, est mûr pour l'amour.

André Malraux

18
C'est un retour au passé !

La matinée était claire. Le soleil paraissait bien décidé à assécher les dernières flaques d'eau. Ils petit-déjeunaient sur la terrasse, dont Lionel avait soigneusement essuyé la table et les chaises avant de s'installer. La chaleur montait doucement, trop doucement pour Ophélie qui venait de le rejoindre et commençait déjà à ressentir un reste d'humidité. Il s'en aperçut à la pointe de ses seins raidie par le froid. Ophélie n'avait pas de soutien-gorge sous son pyjama de lin, ce qui laissait libre son opulente, mais ferme poitrine. Une tenue en laquelle Lionel ne voyait aucun inconvénient, au contraire.

La pratique du topless, très répandue dans les années soixante-dix et quatre-vingt est ensuite tombée en désuétude, certains jugeant la tenue impudique. La mode étant ce qu'elle est, quelques décennies plus tard le regard a de nouveau changé, assimilant alors le monokini à une démarche naturiste. Dans le même ordre d'idée, de nos jours ne plus porter de soutien-gorge est une expérience à laquelle se prêtent de plus en plus de femmes, parmi lesquelles des stars. Les unes s'y mettent par souci de confort et de santé, cela améliorant la circulation sanguine, disent-elles. Les autres y voyant un carcan de moins, avancent : C'est comme quand nos arrières, arrière-grands-mères se sont libérées du corset il y a plus d'un siècle. Quelques-unes ajoutent se sentir plus libres et très nombreuses sont celles qui tiennent à préciser que contre toute crainte leur poitrine ne s'affaisse pas, au contraire elle gagne en fermeté.

Par ailleurs le sujet étant d'actualité, certains téléspectateurs et téléspectatrices se sont dits choqués de devoir apercevoir les tétons de la présentatrice sous le tissu de son corsage. Aussi, de plus en plus d'enseignes proposent à la vente des cache-tétons à l'adhésif en gomme arabique, comme ceux apparus vers 1920, dans le théâtre burlesque. De la sorte, les femmes qui le souhaitent peuvent sauvegarder leur pudeur et les téléspectateurs choqués, retrouver le sommeil.

Lionel la sachant frileuse, voulut la serrer contre lui, Ophélie ne s'y opposa pas, mais ne se blottit pas exactement comme les autres fois. L'instant d'après, peut-être pour s'excuser, elle lança gentiment la conversation.

— *Tu as dû te coucher tard ? Passé minuit, je lisais encore.*
— *Vers deux heures. J'ai feuilleté les journaux que tu as ramenés de chez madame Antoine.*
— *Moi aussi j'ai lu. J'ai découvert une info qui va t'intéresser, Lionel. Non seulement ce livre, Les dames du faubourg, me passionne, mais en plus ce roman m'apprend des choses.*
— *Ah bon.*
— *Figure-toi que le premier vol au monde en ballon a atterri à côté de chez toi, à la Butte-aux-Cailles. Dans l'actuel treizième arrondissement de Paris. Tu savais ?*
— *Non, pas du tout. Raconte.*

Ophélie se lança volontiers dans un résumé de sa lecture de la veille.

Le Roi voyait des dangers dans le premier vol en ballon que se proposaient d'entreprendre deux scientifiques français du siècle des Lumières, Pilâtre de Rozier et le marquis d'Arlandes. Comme ils insistaient, le Roi proposa de faire courir le risque de l'ascension à deux condamnés à mort. Mais de Rozier ne voulait pas que des criminels soient les premiers au monde à voyager dans les airs. Son épouse, Antoinette eut alors une idée que seule une femme pouvait avoir, passer par la Reine, partant du principe que ce que le Roi refusait aux gens influents de la cour, il l'accorderait à une femme. Antoinette de Rozier avait bien vu les choses. Le Roi se rendit aux instances de la Reine, la porte du ciel s'ouvrait à Pilâtre de Rozier et au marquis d'Arlandes. Ils seront les premiers hommes à échapper à la pesanteur terrestre. Le 21 novembre 1783, l'aérostat à bord duquel ils avaient pris place s'envola du château de la Muette, dans l'actuel XVIe arrondissement de Paris, à proximité du Bois de Boulogne. Monta pense-t-on jusqu'à trois mille pieds de hauteur (environ 900 mètres). Poussé par le vent il traversa la Seine, passa à l'aplomb de l'École militaire pour finalement se poser à la Butte-aux-Cailles[5], à deux pas de chez toi. À l'époque, c'était encore la campagne et la butte comptait plusieurs moulins à vent.

Elle ajouta.

— *Tu vois Lionel quand je te dis que c'est grâce à l'audace des femmes que l'humanité avance, une fois encore la preuve est faite !*
— *La preuve est faite, la preuve est faite… tu ne crois pas que ta démonstration est un peu courte. Même si l'anecdote est intéressante, ce n'est pas un seul exemple vieux de deux siècles qui prouve quoi que ce soit.*
— *C'est quand même important.*
— *Cela dit, oui. Le talent des femmes, leur intelligence, intuition, sensibilité, créativité, tact, élégance… leur travail… ont beaucoup apporté à l'humanité entière.*
— *Ah, quand même !*
— *Bien sûr. Pour ne considérer qu'un seul domaine, je suis sûr que si plus de femmes étaient au pouvoir dans différents pays, il y aurait au total moins de guerres, moins de conflits armés.*

---

[5]. Un monument élevé en 1995 marque l'événement. On le trouve Place Paul Verlaine (square de la Montgolfière) dans le quartier de la Butte-aux-Cailles à Paris.

— *Ah, tu crois, dit-elle, sans qu'il puisse détecter si la question était sincère ou moqueuse.*

— *Oui, je crois. Même s'il reste vrai que toutes les femmes ne sont pas des pacifistes et même si la personnalité marquée de quelques puissantes guerrières amazones, anciennes ou modernes, est loin de n'être qu'un mythe.*

— *Et attends, s'exclama Ophélie, ce n'est que depuis une dizaine d'années que l'avortement est dépénalisé[6]. Par ce simple constat qui, d'accord, n'a rien d'un scoop, je veux dire deux choses.*

— *Oui. Voyons çà, dit-il visiblement perplexe.*

— *D'abord, tôt ou tard, nous sommes toutes concernées, d'une façon ou d'une autre, directement ou pas, par la question de l'avortement et les dangers, souffrances, humiliations et risques qui lui sont liés. C'est donc une des rares affaires à la fois universellement et exclusivement féminine.*

— *C'est vrai.*

— *Ensuite, là encore on ne peut que regretter que les hommes aient longtemps fait la loi à notre place. Il a fallu le courage jusqu'aux larmes d'une femme, Simone Veil, pour qu'enfin nous ne soyons plus considérées comme des enfants irresponsables.*

Quarante pour cent des femmes dans le monde vivent dans un pays où la loi restreint ou refuse l'avortement. Chaque année, vingt-cinq millions d'entre elles tentent une interruption de grossesse, trois millions souffrent de complications quelquefois irréversibles et 47 000 y perdent la vie. La situation s'est encore aggravée sous l'effet de la crise sanitaire de deux mille vingt, à l'occasion de laquelle douze millions supplémentaires de femmes dans le monde ont perdu l'accès à une méthode de contraception. Pendant ce temps, la Cour suprême des États-Unis a annulé l'arrêt historique qui reconnaissait depuis un demi-siècle le droit à l'avortement : C'est un retour au passé ! Un recul

---

[6]. La loi Veil de janvier 1975 encadre la dépénalisation de l'avortement. Avant cette loi, la pratique dangereuse de l'avortement clandestin était répandue. Nombreuses sont les jeunes femmes qui en sont mortes, souvent de septicémie.

qui dépossède les Américaines de leur corps, créant un véritable séisme international. En réaction la France a reparlé, mais sans plus, du projet d'inscription du droit à l'avortement dans le marbre de la Constitution. Simultanément, le délai légal pour l'interruption volontaire de grossesse (IVG) a été allongé de 12 à 14 semaines et la contraception rendue gratuite pour les moins de 25 ans. Enfin, toujours en ce qui concerne la France, l'effectivité de l'éducation de nos jeunes à la sexualité a été renforcée.

De son côté, l'infertilité touche une personne sur six dans le monde. Elle est définie comme l'incapacité du système reproducteur masculin ou féminin, à obtenir une grossesse après un an de rapports sexuels réguliers non protégés. L'infertilité peut causer une grande souffrance, de la discrimination et des problèmes financiers liés aux frais de traitement, de transport et d'absence au travail.

De plus dans certains pays la grossesse reste essentielle à la perception de la féminité et l'échec est vécu comme une véritable malédiction. Les femmes ayant un problème d'infertilité souffrent alors d'anxiété, de dépression et d'un risque accru de violences conjugales pouvant aller jusqu'à la répudiation. Selon l'Organisation Mondiale de la Santé (OMS), l'infertilité constitue dans tous les pays, riches ou pas, du nord comme du sud, un problème sanitaire majeur.

Elle relança la conversation.

— *Cela dit, les choses ne sont pas figées. Je suis prête à parier que même dans les pays où les femmes ne comptent pas, bientôt certaines se lanceront.*
— *Tu crois ?*
— *C'est sûr. Pas que sur les questions d'IVG et d'infertilité, mais sur nos droits en général.*
— *C'est risqué, ce sont souvent des pays autoritaires. La répression peut être violente.*

— Un jour viendra où même dans les pays autoritaires et violents, les femmes par leur courage, leur intelligence et leurs actions soutenues réussiront à faire changer les lois. Exactement comme l'on fait chez nous, nos sœurs des siècles précédents.

— Ophélie, tu n'es pas en train de dire que chez nous la femme ne compte pas ?

— Bien sûr que non ! Je n'ai jamais dit çà. Lionel, tu écoutes quand je te parle ? Je disais simplement que chez nous aussi nous allons continuer à avancer. Nous allons continuer à nous battre pour que les femmes aient les mêmes droits que les hommes et ne se fassent plus voler par leurs chefs.

— Voler par leurs chefs ?

— Oui, tu as bien entendu Lionel, voler. Je vois que tu ne connais pas l'effet Matilda.

— Non, en effet.

— J't'explique. Voilà quelques années, un sociologue américain a remarqué la minimisation systématique des découvertes scientifiques faites par les femmes. Dans divers domaines, les hommes Chargés de recherches ou Chefs de laboratoires ou Chargés d'études avaient pris la mauvaise habitude de s'attribuer les pensées intellectuelles de leurs collaborateurs. Surtout celles des collaboratrices. Dans l'art aussi.

— Pourquoi Matilda ?

— En l'honneur de Matilda Joslyn Gage, une célèbre féministe américaine.

— C'est depuis rentré dans l'ordre, j'imagine ? interrogea Lionel.

— Probablement. Encore que ce genre de tricherie puisse toujours se reproduire ; et quand ce n'est pas ça, c'est autre chose.

— Nous sommes tout de même en 1986. Voilà des années que la France compte une Académicienne, nous avons des femmes pilotes de ligne, d'autres officiers supérieurs… on ne peut pas dire que rien ne bouge.

— Je sais bien Lionel, mais tout va tellement lentement. Regarde pour les noms de métiers.

— C'est vrai, nous n'en sommes encore qu'au tout début de la féminisation. D'ailleurs, c'est souvent plus sujet à moquerie qu'à débat.

Après plusieurs années de refus, les immortels ont accepté la féminisation des noms de métiers et professions. Ainsi depuis 2019, Chercheuse, Auteure, Écrivaine, Ingénieure, Magistrate, Professeure, Sapeuse-pompière, Procureure… sont passés dans le langage courant. L'intention étant de rendre plus visible le rôle des femmes dans la vie publique et professionnelle. Des termes pour la plupart construits tout naturellement et tout simplement par ajout d'un « e ». Éventuellement celui d'un accent grave (infirmière) ou un doublement de consonne (chirurgienne). Quelques autres vocables recourant au suffixe « trice » (factrice). Ce qui change avec l'acceptation de ces mots par l'Académie française, c'est que leur féminisation n'est plus simplement anecdotique, mais bel et bien utile : un nom de métier qui n'a pas d'équivalent féminin n'aide pas les jeunes filles à le choisir, car elles pourraient penser que ce sont des métiers d'homme pas faits pour elles.

— J'espère seulement qu'un jour il sera banal qu'une femme occupe un poste important, qu'elle dirige une grande entreprise, un régiment, un gros commissariat, un journal… comme les hommes aujourd'hui.
— Là aussi, ça vient, mais c'est lent.
— Et je ne parle pas, Lionel, de l'égalité salariale. Que ce soit la rémunération des dirigeants, celle des cadres ou celle des opérateurs, presque tout reste à faire.

S'il est vrai que depuis maintenant des dizaines d'années les femmes occupent d'importants postes dans l'armée, l'administration et dans une moindre mesure en politique, dans le secteur privé les salaires des femmes n'ont pas très bien suivi. En moyenne, l'écart salarial entre Européennes et Européens s'est resserré d'un seul point, entre 2010 et 2020 (de 14 à 13 %). Alors que dans le reste du monde, toujours en moyenne, l'écart s'est à l'inverse encore accru en défaveur des femmes. Plusieurs explications sont proposées à cela. D'abord comme nous l'avons déjà dit, nombreuses sont celles encore cantonnées, souvent par habitude sur des emplois en moyenne moins bien rémunérés bien qu'indispensables (métiers du soin : puériculture, aide aux personnes âgées). Puis une autre explication réside dans l'automatisation du travail qui remplace surtout des femmes. Vient ensuite leur sous-représentation pour l'instant encore, dans les emplois technologiques émergeants mieux payés. Enfin, dans nombre de pays les femmes n'accèdent que difficilement au crédit, à la terre et aux produits financiers. Pour ce qui concerne la France, s'il existe en matière salariale quelques secteurs privilégiant les femmes, comme la pharmacie ou la chimie, plus généralement l'écart salarial reste nettement favorable aux hommes. Là aussi la question se pose, pourquoi ce décalage ? Selon l'Inspection Générale des affaires sociales, les femmes restent considérées comme des recrutements à risque, moins flexibles, moins mobiles et moins aptes au management. Sans parler de la maternité, toujours plus ou moins vécue comme un problème, dans la plupart des entreprises.

Ophélie enchaîna.

— Que dire aussi, si ce n'est hurler de douleur, face aux oppressions les plus souterraines dont les femmes sont victimes. Que dire encore de la loi du silence qui souvent étouffe le drame des violences qui nous sont faites ? Que dire enfin des idées reçues sur le viol ?

En France aujourd'hui encore les comportements violents, individuels ou collectifs, perpétrés contre les femmes constituent la manifestation la plus aiguë de l'inégalité homme-femme. Ces actes de violence sont sévèrement réprimés. Ils incluent : le travail forcé, les mariages, grossesses ou avortements forcés, les mutilations génitales, lapidations, défigurations et crimes d'honneur. Les victimes bénéficient de mesures de protection qui s'étendent aux enfants.

De leur côté, les agressions sexuelles se matérialisent par toutes formes de comportements non désirés, verbaux, non verbaux ou portant atteinte à la dignité de la personne. Tout ceci, sachant qu'une distinction existe entre agression et violence sexuelle. L'agression consiste en un acte de nature sexuelle, non consenti. Elle implique de toucher les parties intimes du corps humain, sans l'acquiescement explicite de la victime. Alors que la violence sexuelle est un acte sexuel ou une tentative d'acte (geste ou insulte ou sifflet). Il a fallu attendre la fin du vingtième siècle pour que la violence sexuelle soit prise au sérieux.

Le viol, quant à lui, est défini comme un acte de pénétration sexuelle, de quelque nature qu'il soit, commis sur la personne d'autrui par violence, contrainte menace ou surprise. Le viol constitue un crime passible de la cour d'assises. Plus généralement encore, les chiffres de comportements violents sont tristement éloquents. On estime que 736 millions de femmes dans le monde ont subi des violences physiques et/ou sexuelles, en 2022. En France, 102 femmes ont été tuées par leur partenaire ou ex-partenaire, cette même année alors que 75 000 viols ont été commis, dont « seulement » 16 400 déclarés. Loin d'être marginales, les violences faites aux femmes concernent tous les milieux sociaux sans aucune exception. Des drames qui peuvent concerner nos collègues, nos sœurs ou nos amies. Un constat d'autant plus terrible que ces violences ont souvent pour conséquence une grande souffrance mentale sur le long terme, ainsi que la persistance d'une menace vitale par suicide ou par émergence de conduites à risques.

En réponse à ces brutalités, les Hôpitaux de Paris ont ouvert la Maison des Femmes sur plusieurs sites dédiés, réunissant des équipes pluridisciplinaires pour une prise en charge médicale personnalisée et suivie. Par ailleurs, la France est maintenant dotée d'un arsenal législatif complet pour mieux protéger les femmes face aux violences sexistes et sexuelles : Verbalisation du harcèlement de rue ; Saisie des armes du conjoint violent ; Allongement de 20 à 30 ans du délai de prescription pour viols sur mineurs ; Accélération de l'utilisation de bracelets d'éloignement des hommes violents ; Instauration d'une présomption de non-consentement pour les mineurs de moins de 15 ans en cas de relation sexuelle avec un majeur ; Levée du secret médical pour les médecins de femmes victimes de violences et enfin Pénalisation du cyberharcèlement. En parallèle à ses nouvelles dispositions législatives se mettent en place des Dispositifs éphémères facilitant le signalement des violences conjugales dans les centres commerciaux ; ainsi qu'un Dispositif d'alerte en pharmacie et aussi la possibilité de SMS discrets au 114, pour appeler au secours sans être repéré par son agresseur.

Autres nouveautés, par décret de février 2022 les autorités judiciaires sont tenues, d'une part d'avertir systématiquement les victimes de violences conjugales de la sortie de prison de leur agresseur et d'autre part, la justice doit expressément s'interroger sur la nécessité de mesures de surveillance de l'ex-conjoint et de mesures de protection de la victime. Enfin, l'accessibilité au 39 19 est maintenant ouverte 24 h sur 24 et 7 jours sur 7 pour alerter au plus vite des violences.

Joignant le geste à la parole Ophélie se dégagea lestement de l'étreinte chaleureuse dans laquelle il la tenait depuis un long moment, mettant ainsi fin à leur conversation, juste après avoir ajouté en guise de conclusion, sur le ton de la plaisanterie.

— *C'est un fait Lionel, les sujets ne manquent pas pour que nous revendiquions nos droits, à commencer par celui de disposer de notre propre corps.*

Une doléance sur les femmes et leur corps, qui rappela à Lionel qu'à l'époque avec l'annonce de sa grossesse, qu'elle avait choisi de mener à bien, Brigitte était soudainement devenue l'archétype de la femme comblée qui vit, et offre à son entourage de vivre avec elle, des moments de pur bonheur. De là à éprouver un brin de nostalgie et pourquoi pas une pointe de jalousie. Après tout, Lionel n'était qu'un homme, mais cette fois il n'était pas l'heureux futur-papa. Si cela n'avait tenu qu'à lui, il y a longtemps qu'Amandine ne serait plus fille unique. Mais voilà, il vivait maintenant avec Ophélie et celle-ci faisait partie des rares femmes du début des années 1980 à ne pas être tentées par la maternité. Ils en avaient souvent parlé, surtout les premiers temps de leur vie commune. Elle reconnaissait volontiers qu'en parler aussi librement avec l'homme qu'elle aimait lui permettait de mettre de l'ordre dans ses idées. Lionel tenait absolument à voir un espoir dans ce début d'aveu.

Au fil du temps et de leurs échanges, il était apparu que le choix d'Ophélie de ne pas être mère n'était ni la conséquence d'une enfance difficile ni celle de mauvaises relations avec ses parents, comme on aurait pu le penser. Au contraire, son éducation était excellente, elle n'avait manqué de rien et ses relations avec sa mère, son père et sa jeune sœur Charlotte, l'étaient tout autant. Le refus d'Ophélie de devenir mère n'était pas non plus motivé par sa carrière, ses finances ou son aversion pour les enfants. Sa situation de cadre fonctionnaire d'État, même sans grande ancienneté, lui aurait tout de même permis d'assumer, d'autant plus avec Lionel à ses côtés. On ne peut pas dire non plus qu'Ophélie n'aimait pas les enfants. Ses conversations téléphoniques régulières avec Amandine ainsi que leur bonne entente lors des vacances en attestaient largement. Non, beaucoup plus simplement, Ophélie préférait sans hésitation son style de vie actuel. L'indépendance étant pour elle le maître mot, le seul qui permette une vie épanouissante et complète, disait-elle. Ophélie appartenait à ces femmes dont la vie pouvait tout aussi bien être remplie, passionnante et complète sans enfant. Elle acceptait d'en parler et respectait la décision des autres femmes mais refusait d'avoir à s'en justifier par des contraintes personnelles ou professionnelles, comme le faisaient certaines dans les années quatre-vingt, nous le disions plus haut. Non ! la maternité n'est pas faite pour moi. C'est simplement un choix, le mien, disait-elle à qui veut l'entendre.

Une belle femme plaît aux yeux, une bonne femme plaît au cœur.
L'une est un bijou, l'autre un trésor.

Napoléon Bonaparte

19
Il brûlait d'envie

C'était un charmant village bâti à flanc d'un léger coteau. Organisé autour de l'église du XIIIe siècle aux voûtes de bois portant un exceptionnel décor peint. À l'autre bout d'une large et belle place, des halles du XIVe siècle symbolisaient la vie collective. Les maisons à colombages d'architecture riche et pittoresque offraient un panachage de pans de bois, de briques colorées, de torchis et d'ardoises. Son marché dressé chaque dimanche était attendu dans toute la région. À peine arrivée sur la place, les vélos une fois calés contre le muret bordant la rivière, Ophélie dit d'un ton tranquille, assuré : Je vais acheter le journal. S'interrogeant de nouveau à haute voix, et toujours avec volonté elle ajouta, il y a bien une édition nationale le dimanche ? Une interrogation face à laquelle Lionel ne put s'empêcher de laisser échapper, ça te reprend ?

— Oui, je poursuis parce que c'est important pour moi. Je te l'ai déjà dit et répété.
— Arrête Ophélie, tu vas enfin me dire ce qu'il se passe, vraiment ?
— Vraiment, répéta-t-elle en s'asseyant sur le muret, à l'à-pic de la rivière.
— Oui, vraiment Ophélie.

À la façon dont Ophélie venait de répéter le mot vraiment et aussi au réflexe qu'elle avait eu de s'asseoir avant de répondre, comme pour signifier que le sujet était grave que leur explication allait prendre du temps et qu'il valait mieux s'asseoir, Lionel comprit. Il comprit qu'il se souviendrait de cet instant, qu'il se souviendrait de ce jour. Il comprit qu'il se souviendrait longtemps de ce week-end à la campagne.

— *C'est ce conseiller, lança-t-elle.*
— *Quoi ce conseiller ?*
— *Un nouveau ! Tu sais que Colette, Régine et moi nous nous chargeons aussi du secrétariat des conseillers du ministre.*
— *Et alors ?*
— *Et alors... il y a un nouveau qui est arrivé. Il me trouble, il ne s'adresse qu'à moi. Il me confie un travail différent. Régine s'en est aperçue, elle me taquine avec ça.*
— *Je me fous de Régine autant que de Colette. Que se passe-t-il exactement Ophélie ? Tu vas me dire, oui ?*
— *Tu te souviens au début du mois dernier tu t'es absenté pour un séminaire.*
— *Oui et alors ?*
— *Un soir, j'ai fini tard, nous nous sommes retrouvés dans l'ascenseur, il m'a proposé un verre. J'ai accepté. C'est la fois où tu as cherché à me téléphoner, à la maison puis au bureau, sans pouvoir me joindre. Souviens-toi, tu étais contrarié.*

Inconsciemment, elle s'efforçait de prononcer très distinctement chaque mot, pour augmenter ses chances de ne pas céder à l'émotion et aussi reculer l'instant où elle prononcerait le mot fatidique. À l'inverse, Lionel bouillait d'impatience, il brûlait d'envie de savoir ce qu'il redoutait d'apprendre.

— *Et ?*
— *Et nous nous sommes revus le surlendemain pour dîner.*
— *Et ?*
— *Ça suffit, Lionel. Tu te crois dans un commissariat ?*
— *Et tu as couché avec lui. C'est ça ?*

— Ça fait des semaines que j'essaie de t'en parler, dit-elle en baissant les yeux.

Lionel se tut, assommé.

Voilà quelque temps qu'il sentait Ophélie différente, il réalisait à l'instant qu'il savait depuis plusieurs semaines qu'elle lui échappait, mais il ne savait pas qu'il le savait. Soudainement, pour lui tout venait de s'éclairer et s'effondrer à la fois. En un éclair, il avait compris pourquoi il ne comprenait plus rien à Ophélie : sa nouvelle façon d'être présente sans être là ; son absence de désir ; sa nervosité à fleur de peau ; sa préoccupation autant inexplicable que démesurée pour Tchernobyl et à l'inverse les vetos qu'elle lui opposait dès qu'il en parlait. Il venait aussi de réaliser que le secret qui la rendait malade n'était pas un mensonge d'État, mais son infidélité. Lionel venait de comprendre que lorsqu'elle disait, en me taisant je mens par omission, cela signifiait, je ne suis pas capable d'avouer ma passion fulgurante pour un autre homme. Il comprenait enfin et à son immense douleur que « SON » Ophélie avait personnifié la catastrophe. Il comprenait que pour elle, parler de Tchernobyl était devenu une façon de se consoler, en parlant presque ouvertement de son nouvel amour, mais sans jamais rien en dire, sans jamais rien en dévoiler. Subitement plus malheureux que les pierres, il ne put s'empêcher de voir dans l'attitude de la femme qu'il aimait, la plus cruelle des trahisons.

Une femme intelligente nous laisse nos rêves.

Jules Renard

20
La lettre à Amandine

Depuis deux mois, Lionel vivait seul. Après leur week-end d'atermoiements et de tergiversations, Ophélie avait trouvé le courage de partir. Lionel était tout de suite rentré à Paris. Comme bien d'autres, il avait entendu parler des vertus de l'indifférence. Celle qu'utilise avec brio, mais c'est au théâtre, cet humoriste autrichien du siècle dernier, né à Vienne et mort à New York, Alexander Roda. Lionel se souvenait encore s'être dit, il y a bien longtemps en découvrant la manœuvre : l'astuce est bonne pour attirer l'attention d'une personne à laquelle on s'intéresse, sans trop avoir à oser. Au théâtre, la saynète est celle-ci.

Une poignée de jeunes officiers s'ennuient terriblement dans une ville de garnison où brille un seul et unique rayon de soleil, la jeune et désirable caissière du Grand Café. Tous lui font une cour assidue, mais elle résiste coquettement à leurs avances. Le héros de l'histoire en est raide dingue amoureux à lui seul au moins autant que tous les autres réunis. Mais il se dit qu'il n'a aucune chance de surclasser ses rivaux s'il reste sur le même terrain. Alors plus par dépit que par stratégie il en vient à adopter la plus voyante des indifférences : il reste seul à sa table, tournant délibérément le dos à l'objet de tous ses tourments, quand il s'en va, il paie sa note à la jeune caissière avec une impassibilité prononcée. Tout le reste du temps, il ne pense qu'à elle, mais il est seul à en souffrir. De la sorte, au bout d'un temps – la nature humaine étant ce qu'elle est –, le jeune lieutenant excite la curiosité de la jeune fille et devant ses camarades ébahis, il finit par emporter le prix.

Ça, c'est au théâtre, nous l'avons déjà dit plusieurs fois. Mais comment s'y prendre dans la vraie vie ? D'autant que c'est Ophélie qui était d'elle-même devenue indifférente. De la même façon qu'à l'époque de leur rencontre c'était elle qui s'était adroitement débrouillée pour aller vers lui, et non l'inverse. D'une façon ou d'une autre, et à chaque fois avec brio, sans jamais manquer d'à-propos, ni d'imagination, ni de tact, ni de créativité, les femmes ont toujours su faire le premier pas. Il suffit pour cela que le sujet les intéresse. Cette fois donc, c'est bel et bien elle qui était partie. Partie pas seulement par coquetterie pour faire semblant de ne plus être intéressée, comme font quelquefois les femmes, qui sont rares à draguer ouvertement, mais savent se faire désirer. Non, vraiment partie. Lionel l'avait compris et s'en trouvait dans l'impossibilité de jouer quelque jeu que ce soit. Ophélie n'était plus là. C'est tout.

Côté boulot, en redoublant d'efforts Lionel avait réussi à honorer tout juste à temps, la commande en cours d'une soixantaine d'historiettes fantaisies. Quant à Ophélie, après avoir averti d'un coup de fil, elle était passée prendre ses dernières affaires et rendre les clés. En se revoyant pour la première fois depuis leur rupture, tous deux sentirent monter l'émotion qu'ils redoutaient, mais n'en dirent rien.

La semaine suivante, comme convenu de longue date, Amandine était venue pour huit jours de vacances à Paris chez son papa. Une lettre d'Ophélie l'attendait sur la commode de sa chambre.

Bonjour Amandine,

Depuis quelque temps, je n'habite plus avec Lionel, ton papa.

Tôt ou tard, tous les couples traversent des crises, c'est ce qui nous est arrivé. J'estime que c'est un peu plus ma faute que la sienne. D'ailleurs, c'est moi qui suis partie.

Notre séparation ne change rien à toute l'amitié que j'ai pour lui. Elle ne change rien, non plus, à l'affection que je te porte, ma petite Amandine. Nous continuerons de nous voir, toi et moi de temps en temps, nous qui nous entendons si bien. Cette semaine, je ne suis pas à Paris. J'espère que tu seras d'accord pour que je vienne te voir dès tes prochaines vacances chez papa. Entre-temps, je te téléphonerai à Nice ou je t'écrirai à nouveau.

Tu trouveras dans cette enveloppe, comme prévu, la liste des salles et les horaires pour le film qui t'intéresse, Retour vers le futur. J'en ai parlé à papa, il pourra t'y accompagner.

Et comme cela me fait plaisir de te faire plaisir, tu trouveras aussi un billet de vingt francs pour t'acheter un cornet de glace et un livre de la Bibliothèque Rouge & Or, comme tu les aimes. Ou encore des fils plastiques pour tricoter des scoubidous pleins de couleurs.

Avec vingt francs, tu dois même pouvoir acheter les trois d'un coup !

Grosse bise, ma chérie.

À bientôt.

Ophélie

Amandine ne découvrait pas la situation. Lionel lui en avait nécessairement parlé puisque depuis plusieurs semaines il n'était plus en mesure de lui passer Ophélie au téléphone. La fillette lut tranquillement le mot d'Ophélie, le replaça soigneusement dans son enveloppe et rangea la lettre dans le quatrième tiroir de son bureau, le plus bas. En faisant ainsi, même si elle était trop jeune pour le réaliser vraiment, Amandine gardait la lettre d'Ophélie à portée de main, tout en la maintenant à distance. Un choix, un geste qui ne devait rien au hasard. Au contraire, puisqu'il reflétait exactement sa position vis-à-vis de son ex-belle-mère. C'est que depuis la rupture, Amandine qui venait d'avoir neuf ans se sentait à la fois proche et éloignée d'Ophélie. Cette dernière lui était plus que jamais proche par sa jeunesse d'esprit et sa capacité d'écoute bienveillante ; par sa complicité et sa générosité aussi. À l'inverse, non seulement Amandine et Ophélie n'avaient aucun lien de parenté susceptible de réduire la distance affective qui dorénavant les séparait, mais du haut de ses neuf ans, elle voyait Ophélie comme directement fautive des jours moroses que vivait son papa.

Afin d'égayer le séjour de sa fille en vacances à Paris, pour la première fois sans Ophélie, Lionel avait prévu des sorties. Le cinéma, comme convenu, mais aussi un théâtre pour enfants, ainsi que le jardin d'acclimatation et même le tout nouveau musée de la Poupée. Amandine avait tout aimé. Les vacances étaient vite passées. Mais la fillette, même si elle n'osait pas en parler, avait pleinement ressenti la solitude dont souffrait son père.

Après le départ de sa fille et les huit jours de répit qu'il venait de s'accorder, Lionel se noya à nouveau dans le travail. Sa réputation de journaliste free-lance n'était plus à faire, et les commandes ne manquaient pas. D'ailleurs Lionel fier de sa plume, se disait toujours autant passionné de rencontrer des gens de terrain, sur leur terrain et pouvoir en témoigner au plus juste.

Une femme qui se croit intelligente réclame les mêmes droits que l'homme. Une femme intelligente y renonce.

Colette

21

Tout change, sauf le changement

Les choses changent quant à la manière de travailler, nous l'avons dit et sommairement imagé, elles changent aussi en ce qui concerne la nature du travail : la numérisation des entreprises et son corollaire le télétravail sont passés par là. Par exemple, parce qu'il est de nos jours indispensable de maîtriser les outils numériques, au niveau mondial, les femmes qui étaient moins nombreuses que les hommes à disposer des compétences de base en la matière se sont formées au point d'occuper maintenant un quart des emplois du numérique dans le monde. Pour ce qui concerne la France, nos ingénieurs diplômés d'État se voient toujours décerner un titre parmi les meilleurs au monde, quelle que soit la spécialité. On peut regretter cependant que seulement 33 % de jeunes-filles s'orientent vers une qualification d'ingénieur dans un métier du numérique. L'École Polytechnique constitue l'illustration la plus marquante de cette situation, qui ressemble à un désamour des Françaises pour les mathématiques, puisque cinquante ans après son ouverture aux femmes, le taux de féminisation de « l'X » plafonne toujours à seulement 17 %.

Au début de sa vie professionnelle, c'est par honnêteté intellectuelle que Lionel avait de lui-même quitté l'emploi dans lequel une ligne éditoriale trop stricte à son goût, lui était imposée. Malgré son jeune âge et sans grande ancienneté, il avait su opter pour un changement radical à une époque où l'entrepreneuriat n'avait pas l'aura qu'on lui connaît depuis une dizaine d'années. Aujourd'hui, des décennies plus tard, manifestement toujours doté du sens des responsabilités et d'un relatif goût du risque, Lionel venait de prendre à nouveau une décision courageuse : écrire sur sa vie affective. Sa véritable intention était moins de placer un nouveau livre en rayon que de tenter une expérience, sans doute enrichissante, peut-être même passionnante.

Il savait qu'il devait commencer par lister les moments clés de sa vie. Un travail long et ennuyeux mais indispensable pour ne pas oublier d'événement important. Il devait ensuite identifier les choix qui avaient décidé du cours de sa vie en l'orientant vers un chemin plutôt qu'un autre. Qu'ils soient ou non, liés à ses sentiments ou ses besoins. Lionel devait identifier les choix qui ont fait de lui ce qu'il est aujourd'hui : Vivre avec telle personne ou pas ? Se former à tel métier ? Saisir cette chance ? Partir ou rester ? Se lier d'amitié avec untel ou unetelle ? … Et aussi, avoir un enfant ? S'adonner à ce loisir ? Voyager ; militer pour une cause ; adhérer à une association… Lionel allait aussi devoir se rappeler comment il avait arrêté ces choix. Étaient-ils évidents ou au contraire avait-il dû réfléchir longtemps avant de décider ? Ces repères sur sa façon d'agir allaient lui permettre de mieux se connaître, mieux se comprendre, mieux se situer. Enfin, et avant de « tracer » le fil rouge de l'histoire à écrire, Lionel devait décider de ce qu'il allait dire et ce qu'il devrait taire. Il savait que, quel que soit le moyen de communiquer, on ne dit jamais tout. Même si l'on veut être honnête et précis, nous connaissons des oublis et nous éprouvons des difficultés à exprimer certains sentiments. D'autant que chacune et chacun de nous possède un misérable petit tas de mensonges, de lâchetés, de trahisons, de manquements et autres forfaits individuels ou collectifs à glisser sous le tapis. En d'autres termes, il n'est pas toujours facile de se débrouiller avec sa conscience. Même par écrit.

Et s'il avait fallu une raison de plus pour décider Lionel à écrire son histoire, elle serait la suivante : trouver au moins des débuts de réponses aux questions qui se posaient à lui avec tant d'insistance et depuis si longtemps :

178

Pourquoi la complicité de son couple s'était-elle à chaque fois dégradée ? Était-il lui-même pénible à vivre ? Trop exigeant ? Étaient-elles injustes ou capricieuses ou encore singulièrement vénales ?

En résumé : Pour quelles raisons exactement étaient-elles parties ?

Avec pour point d'orgue à sa réflexion l'interrogation qui le taraudait littéralement, celle qui raisonnait comme une insulte à son intelligence autant qu'à sa sensibilité : Pourquoi une fois encore n'avait-il rien vu venir ? Il est vrai qu'à l'instar des autres fois, par sa soudaineté l'événement s'avérait difficilement prévisible. Mais Lionel savait que l'effet mauvaise surprise à lui seul n'expliquait pas tout, loin de là. Dans ces conditions, par quoi et comment pourrait-il expliquer ce manque récurrent de clairvoyance ?

Les premières organisations de sauvegarde des droits des femmes sont apparues au milieu du XIXe siècle, avec les mouvements féministes qui luttaient pour la reconnaissance des droits civiques. C'est en 1848 que la célèbre pionnière française du féminisme, Olympe de Gouges, rédige la Déclaration des droits de la femme et de la citoyenne. Elle sera guillotinée en 1793 pour ses idées et ses écrits. En 1904, la Ligue française pour le droit des femmes est créée par Hubertine Auclert. La Fédération internationale pour le suffrage des femmes quant à elle est fondée en 1907. De nos jours, plusieurs organisations ont pour mission la sauvegarde des droits des femmes dans le monde : Annesty International ; AWID International ; ONU Femmes ; Fédération de solidarité des femmes ; Fondation des femmes... En ce début des années deux mille vingt, ces organismes dénoncent tous l'ampleur sans précédent de la régression des droits des femmes dans le monde. Des changements souvent brutaux, inscrits dans le temps et consécutifs, soit à la pandémie de Covid-19, soit aux guerres régionales, soit aux crises économiques ou financières ou écologiques. Soit encore, aux caprices de dictateurs. Des modifications d'envergure variable, mais aux conséquences toujours catastrophiques. Des changements qui vont de la « simple » violence domestique à la recrudescence du viol comme arme de guerre ; de l'augmentation de la précarité de l'emploi des femmes au démantèlement de mesures les protégeant juridiquement ; du recul des services de santé sexuelle aux attaques contre l'accès à l'avortement ; de la diminution de l'inscription des filles à l'école au détricotage des droits humains. C'est dans les pays déjà les plus marginalisés que les femmes souffrent le plus. Des pays riches aux pays les plus pauvres, au nord, comme au sud de la planète et à des degrés divers, dans de nombreux pays les femmes sont perdantes. Là où les unes perdent « seulement » leur dignité, les autres perdent la vie. « Tout cela est inadmissible et couvre de honte les personnes qui en sont responsables et celles qui gardent le silence », a déclaré à ce propos la présidente d'Annesty International. Alors que dans le même temps le rapport sénatorial de juin 2023, dit rapport Rossignol, souligne que les femmes au travail sont majoritairement exposées à des problèmes de santé, souvent qualifiés d'invisibles (parce que non visibles à l'œil nu). Ces risques peuvent être causés par des facteurs tels que le stress, la discrimination, le harcèlement, la charge mentale, l'usure physique, les troubles musculosquelettiques et les violences sexistes. Simultanément, grâce à leur intelligence, grâce à leur bravoure et par leurs actions, c'est au péril de leur vie que dans les pays concernés, les femmes les plus courageuses cherchent à changer les lois. « Exactement comme l'on fait chez nous, nos sœurs des siècles précédents », disent Lionel et Ophélie lorsqu'ils en parlent.

Enfin, puisqu'il en était aux bonnes résolutions, du type de celles que l'on prend envers soi-même le premier janvier, Lionel décida aussi de se prendre sérieusement en main, de dégager du temps pour s'occuper de lui, se faire plaisir, se distraire. Passer à autre chose, voilà une belle intention, mais plus facile à dire qu'à faire. En revanche, s'en donner les moyens n'était après tout qu'une affaire de volonté, et çà, la volonté, quel que soit le domaine où la convoquer, Lionel savait comment s'en emparer pour ne plus la lâcher.

De la femme vient la lumière, et le soir comme le matin autour d'elle tout s'organise.

Aragon

22
Claire

Que devenait Lionel, maintenant seul et addict au travail ?

C'est dans la file d'attente du film de l'année, Le nom de la rose, que Lionel fit connaissance de Claire. Un peu à la façon dont Brassens le chantait en son temps, il avait suffi qu'il propose à la jeune femme un coin de parapluie, pour qu'elle lui sourit, et l'accepte. Il pleuvait dru, et leur conversation alla vite bon train. Elle porta d'abord sur le temps, puis sur le film qu'ils allaient voir, puis sur Le Cinéma, puis sur elle, puis sur lui. C'est presque sans s'en apercevoir qu'ils se retrouvèrent assis, l'un à côté de l'autre. L'ouvreuse – comme il en existait encore dans ces années-là –, les avait pris pour le couple qu'ils n'étaient pas. L'un et l'autre s'étaient laissé faire. En sortant, après deux heures dans le noir, ils retrouvèrent avec bonheur un soleil de printemps suffisamment réconfortant pour qu'elle accepte un verre en terrasse. Le film leur avait plu, bien qu'un peu alambiqué de l'avis de Claire et non dépourvu de quelques longueurs de celui de Lionel. L'œuvre présentait une situation peu fréquente au cinéma de cette époque. Celle d'un thriller moyenâgeux déroulé dans une abbaye du nord de l'Italie. Chaque moine semblait cacher un secret d'une telle importance que plusieurs en mouraient.

Longtemps, les femmes réalisatrices ont été les grandes absentes des palmarès cinématographiques. Ce n'est qu'en 1993 que la Palme d'Or du festival de Cannes est attribuée pour la première fois à une femme cinéaste : Jane Campion pour son film, La Leçon de piano. Il faudra attendre 2021 pour voir la consécration de sa consœur Julia Ducournau pour le puissant, Titane. Un film, robuste, de genre et transgenre, avec une créature hors norme et un pompier bodybuildé. Toujours à Cannes, en 2023 les choses avancent encore un peu vers davantage de féminisation puisque la sélection officielle compte pour la première fois pas moins de six réalisatrices en compétition. Cette même année, la Française Justine Triet entre dans l'histoire du septième art en devenant la troisième femme à recevoir la palme d'or du premier Festival mondial du Cinéma. Dans son film, Anatomie d'une chute, la réalisatrice et scénariste brosse le portrait d'une femme accusée d'avoir tué son mari.

Après à peine une heure en terrasse sous un soleil de printemps, Claire et Lionel se retrouvaient serrés dans les bras l'un de l'autre, nus au fond d'un grand lit. Elle l'avait invité à la suivre dans la chambre d'hôtel toute proche, où elle prétendait être descendue pour raison professionnelle. Claire était en fait une occasionnelle qui n'avait tout simplement pas annoncé son prix. Lionel avait bien senti quelques légères incohérences lors de leur conversation. Mais autant par curiosité que par désir il avait préféré se taire pour mieux se laisser faire. Peut-être même que son inconscient lui avait dicté de ne pas trop chercher à comprendre pour mieux se laisser tenter.

De nos jours, les travailleuses et travailleurs occasionnels du sexe sont à plus de 95 % de jeunes femmes qui exercent pour gagner leurs vies et celles de leurs enfants. En France comme ailleurs, leur nombre a augmenté consécutivement à la succession des crises qui ont ébranlé le pays. Cela dit, nous avons beau savoir que cette activité a toujours existé, nous pensons tout de même que la grand-mère de Claire serait tombée raide morte si elle avait appris de quelle façon sa petite-fille améliorait son train de vie. Probablement faut-il voir là, non seulement le poids des circonstances, mais aussi une question de culture, d'éducation et de génération. De fait, assez nombreuses sont maintenant celles, et ceux, revendiquant leur droit à une sexualité parfaitement décomplexée et tout à fait disposés à justifier leur choix, en l'expliquant.

Je ne vois pas pourquoi je m'interdirais de travailler ainsi. Quel que soit mon gagne-pain, c'est mon corps qui travaille. En premier lieu le cerveau qui contrôle tout : les fonctions motrices, celles cognitives et la production hormonale. C'est le cerveau qui commande la motricité, la sensibilité, l'équilibre, la mémoire et les émotions. Mon cerveau, qui n'arrête jamais de travailler intellectuellement, commande à mon corps, à mes membres de faire tel geste ou tel autre. C'est encore lui, mon système nerveux central qui jouit, dans les moments où je fais le mieux mon boulot. Oui ! prendre du plaisir dans son travail n'est pas honteux. Je peux même dire en exagérant à peine que cela fait partie du service pour lequel je suis payée. Et s'il fallait encore un argument, je dirais : Quitte à être exploité dans un petit boulot, autant gagner plus. Quant à la morale, on sait à quel point elle varie, il y a quelques dizaines d'années encore, se masturber était mal vu, de nos jours se masturber est couramment admis[7].

Avec l'expérience et les facilités d'accès à l'information, non seulement les prostituées occasionnelles se protègent contre le SIDA, contre les MST et contre le risque d'agression physique, mais nombreuses sont celles qui tiennent d'abord à discuter avec le client pour faire connaissance. C'est l'occasion de se forger une idée sur ses véritables intentions disent-elles, parlant quelquefois sur le ton de la plaisanterie, d'entretien de recrutement. De la sorte, contrairement à nombre de professionnelles, une occasionnelle peut facilement refuser un client qu'elle ne sent pas. D'autant que le racolage dans la rue étant réprimé et dangereux, de nombreuses travailleuses occasionnelles et travailleurs du sexe préfèrent nouer un premier contact sur Internet. Au-delà de ces quelques explications, il nous faut ajouter que pour de multiples raisons, les personnes prostituées, sous quelque forme que

---

7. La masturbation est une activité amusante, normale et saine www.pressesante.com

ce soit, souffrent. Il est indéniable que se vendre ne peut que faire souffrir, même si dans l'espoir souvent irréaliste de protéger leur conscience beaucoup de celles et ceux qui vendent leur corps, refusent de l'admettre. Surtout qu'à bien y réfléchir, au sens strict on ne peut tout de même pas considérer cette activité, cette expérience, comme un métier, ni comme une profession, ni même comme un simple travail. Toute la logique du raisonnement le plus rigoureux, ne valant pas grand-chose face aux sentiments. D'ailleurs depuis toujours raison et sentiments ne sont-ils pas ennemis jurés ? Aussi, certains soirs de forte mélancolie, il arrivait à Claire de juger indécent de gagner en une nuit autant que ses propres parents en un mois.

Lionel qui n'avait pas touché une femme depuis plus d'un an, réussit à contenir son ardeur, laissant à Claire le temps que les frémissements du désir la saisissent à son tour. Une fois tous leurs sens affûtés, occupés qu'ils étaient à déguster leurs découvertes réciproques, à savourer leurs plaisirs communs et à éprouver leurs émotions partagées, les heures leur échappèrent. Ce n'est qu'au petit matin qu'ils s'endormirent, éreintés, mais heureux. Tard dans la matinée le bruit de la ville les réveilla, bien qu'atténué par le double vitrage et la moquette des chambres et du couloir. Lionel se leva sans bruit en direction de la salle de bain. Une minute plus tard, Claire le rejoignait, nue. C'est sous la douche qu'ils reprirent une dernière fois leur tendre activité, avant de se quitter pour toujours.

Il est difficile de savoir ce qu'il en est exactement de la satisfaction sexuelle de chacun de nous. D'abord parce que chaque personne est différente, vit des expériences différentes et a des préférences différentes. Ensuite parce que rien ne garantit la sincérité des interviewés sur ce sujet qui plus que tout autre touche à l'intime. Cependant, selon une étude de l'Institut français d'opinion publique pour le magazine ELLE, en 2021 le « devoir » d'orgasme paraissait un peu moins prégnant qu'il ne l'était précédemment puisque seulement 28 % des femmes estimaient qu'un rapport sexuel sans orgasme était raté. Alors qu'elles étaient 41 % deux décennies plus tôt. Dans ce même sondage, deux tiers des femmes reconnaissaient avoir déjà simulé un orgasme et huit sur dix convenaient qu'elles gémissaient pendant l'amour pour encourager leur partenaire. Suivant la même étude, les hommes simulaient également, mais moins souvent. Enfin, toujours en 2021 quatre fois plus de femmes que vingt ans plus tôt, se masturbaient.

Sa nuit de plaisirs avec Claire avait suffi pour redonner à Lionel tout l'allant perdu après le départ d'Ophélie. En ce début de printemps il redécouvrait pour la déguster pleinement, la taquinerie de son éphémère et maintenant lointain copain de régiment. La malicieuse petite phrase, à l'époque sans cesse répétée, alors qu'ils étaient tous deux consignés à la caserne : Lionel, c'est beau une femme ! Il lui revint aussi que le même camarade, décidément loin de se trouver à court d'idées, posait volontiers et avec toute la malice et la conviction nécessaires, l'étonnante question suivante : Quelles autres activités humaines que les plaisirs de la chambre à coucher et ceux de la table, mettent en action simultanément nos cinq sens ? Une considération dont il s'amusait à démontrer la véracité en s'appuyant sur un simple constat. Ne dit-on pas à propos de celui ou celle que l'on aime, je goûte ses baisers, je le vois, je le touche, je le sens, j'aime entendre sa voix profonde ou virile, douce, sensuelle ou rassurante… Ne dit-on pas de la même façon à propos d'un aliment, je le goûte, je le vois, je le touche, je le sens et je l'entends craquer sous la dent. Depuis, Lionel et bien d'autres cherchent en vain un troisième exemple d'activation simultanée de nos cinq sens.

Des sens dont on peut tenter de décrire l'éveil, ainsi.

La vue, en lien direct avec le cerveau, donne lieu à l'expression non-verbale de nos émotions : un seul regard peut exprimer l'amour. Puis le toucher libère les corps « Leurs bouches se rencontrèrent, leurs mains s'égarèrent ». Apparaît alors l'odorat qui envoûte, le parfum a le pouvoir quasi magique d'éveiller chacun des autres sens. Vient ensuite le goût qui sublime le plaisir, parce qu'il nécessite un contact, le goût est le plus intime de nos cinq sens, il met en appétit. Enfin l'ouïe, reflet de nos émotions, nous offre d'entendre le plaisir de l'autre, par le biais de ses gémissements.

Notre troufion éclairé était tout autant fondé à ajouter que c'est peut-être bien en raison de la double appartenance de chacun de nos sens, à l'un autant qu'à l'autre de nos deux plaisirs majeurs que sont, faire l'amour et manger, qu'en vieillissant nous versons dans la gourmandise. Ce qui ne signifie pas forcément l'incapacité à faire l'amour, mais ne fait que souligner la tendance naturelle de chacun de nous, homme ou femme, à aller prioritairement vers ce qui est à la fois le plus agréable et le moins fatigant. Dès lors, il devenait aisé, à notre piou-piou, de soutenir que la sensualité n'est pas exclusivement liée à la sexualité.

Dans les semaines qui suivirent, Lionel se donna pour habitude de flâner dans le quartier animé des restaurants, cinémas et théâtres où il avait rencontré Claire. Pas pour la retrouver ni pour espérer une quelconque autre aventure. Non, mais plutôt parce qu'en faisant ainsi il s'obligeait à quitter régulièrement le travail. Il s'obligeait à lâcher-prise, un peu comme on s'astreint à une cure de désintoxication. La rencontre de Claire, pour vénale qu'elle fût, avait offert à Lionel un pas vers une vie plus diversifiée et manifestement mieux équilibrée, à laquelle il avait rapidement repris goût. Mais le temps continuait d'avancer inexorablement. Voilà déjà plus d'une année qu'Ophélie était partie avec ce personnage dont Lionel avait su, par un hasard indicible, que l'un des grands-pères avait été collaborateur en 1943 sous le régime de Vichy. Et même si ce voleur de bonheur n'était en rien responsable des écarts de conduite de son aïeul, l'union de la fille d'un officier supérieur, grand résistant, avec le petit-fils d'un collabo, avait pour Lionel une évidente dimension contre nature. Un caractère quasi incestueux qui au cas particulier, l'arrangeait bien. Un an, donc, que Lionel restait seul. Seul à ruminer cette troublante pensée qui venait le saisir chaque fois que l'ennui et la morosité reprenaient le dessus : Comment le temps, qui nous vole si vite la jeunesse et la beauté, et qui tôt ou tard nous tue, peut-il à d'autres moments s'écouler aussi lentement ? Surtout qu'à en croire les statistiques, le temps court différemment suivant que l'on est un homme ou une femme, en couple ou non, avec enfant ou pas, et tenant ou non un emploi. Là encore, un constat suffit pour s'en convaincre : très souvent, les femmes de retour à la maison, passent deux à trois heures chaque jour à s'occuper de leur famille. Et même s'il y a partage des corvées de ménage, de courses, de cuisine et de devoirs, la répartition est au mieux d'environ deux tiers, un tiers, en leur défaveur. Aussi, il apparaît évident que de nos jours encore les femmes disposent de moins de temps libre que les hommes et la distribution inéquitable des tâches ménagères n'y est pas pour rien. Ce qui nous incline à penser que les stéréotypes de genre impactent toujours la place, le rôle et les responsabilités de chacun. Pour ne prendre qu'un exemple, aujourd'hui encore, même en ce qui concerne la vie sociale d'un couple de cadres supérieurs avec enfants, c'est presque toujours elle qui lance les invitations d'amis (?), qui planifie les vacances et autres sorties. Lui, il est toujours volontaire (!), mais il n'est pas capable de répondre à une invitation sans la consulter. Toujours en ce qui concerne la course du temps, comme chacun le sait pour l'avoir éprouvé, on sent le temps s'écouler plus ou moins vite, suivant que l'on trouve ou pas du plaisir à ce que l'on fait. Voilà une considération qui pourrait passer pour un truisme si elle n'expliquait une autre réalité elle aussi conséquente : les salariés qui veulent travailler plus longtemps sont presque toujours ceux qui ont la possibilité d'associer travail et réalisation de soi dans le travail ou par le travail. C'est-à-dire surtout les cadres, les professions intellectuelles, les diplômés du supérieur et aussi certains artistes et artisans, ceux des métiers d'art notamment. Alors qu'en revanche presque tous les autres, bien plus nombreux, dans les rangs desquels on compte beaucoup de femmes, et qui à la lumière de leur vécu associent travail et fatigue au travail ainsi que stress et pression, souhaitent immanquablement travailler moins longtemps.

La femme mariée est un esclave qu'il faut savoir mettre sur un trône.

Honoré de Balzac

23
Alexandra

Les rares fois où Lionel était revenu dans sa maison de campagne, l'ennui et la tristesse l'avaient assailli. Il avait du mal avec tout ce silence, avec l'absence de voisins et ces grands espaces verts désespérément vides. Il avait du mal avec tout ce qu'il avait aimé. Il avait surtout du mal avec le souvenir des jours heureux vécus ici, ceux où Ophélie était là. Un dimanche de marché, Lionel avait pris un verre avec Mathieu. Après avoir une fois encore ri de leurs bêtises d'adolescents, Lionel et Mathieu parlèrent de leurs vies : l'un et l'autre s'étaient fait larguer ; l'un et l'autre vivaient à Paris, seul, comme la mode commençait à le vouloir. L'un et l'autre espéraient, mais sans impatience, une compagne.

En France, le nombre d'adultes vivant seuls atteint maintenant un niveau sans précédent. Parmi ces célibataires, plus de cinq millions sont des femmes, avec ou sans enfant, étudiantes, divorcées ou veuves. Beaucoup d'entre elles estiment ne pas avoir besoin d'un homme pour se réaliser. Les mêmes ou d'autres affirment que leur solitude résulte d'un libre choix, celui de n'avoir de comptes à rendre à personne et de pouvoir se sentir totalement indépendante. En revanche, d'autres trouvent la solitude lourde à porter, en particulier les ouvrières et employées. Celles parmi lesquelles se recrute la large majorité des familles monoparentales, en augmentation régulière et souvent en difficulté économique. Un phénomène pas vraiment nouveau, mais une fois encore largement exacerbé par les difficultés de la période. Ceci au point qu'il a fallu charger les Caisses d'Allocations Familiales de recouvrer les non-versements de pensions alimentaires ; une réforme qui a vite démontré son utilité.

De leur côté, Lionel et Mathieu en tant qu'hommes célibataires et bien que travaillant beaucoup, ressentaient un vide. Tous deux éprouvaient un manque d'accomplissement. Les quelques aveux qu'ils venaient d'échanger, loin de leur être pénibles les avaient au contraire rassérénés, mis en confiance. Les deux amis se retrouvaient. L'heure du repas approchant, ils ressentirent le besoin de poursuivre et se laissèrent volontiers tenter par l'authentique sole normande de madame Bruneau. Cuite au cidre cette spécialité-maison était, plus qu'un plaisir, un vrai régal. Leurs retrouvailles inopinées et ce délicieux repas leur firent tant de bien, qu'ils se promirent de vite se revoir à Paris.

Dès la semaine suivante, un soir où Lionel était rentré plus tôt, le téléphone sonna. C'était Mathieu.

— *Allo Lionel, c'est moi, Mathieu. Je fais vite. Ce n'est pas grave, mais un peu pressé.*
— *Oui, je t'écoute Mathieu.*
— *J'ai des places gratuites pour le nouveau spectacle des Folies-Bergère. Une revue intitulée, Tradition oblige. Ça te dit ?*
— *C'est quand ?*
— *Tout de suite. Dans une heure trente. Rue Richer. Ligne 7.*
— *Heu… Ligne 7 ?*
— *Oui, oui la tienne. Tu m'as bien dit que tu habitais vers Italie ?*
— *Oui, d'accord. J'arrive, Mathieu. À ce prix-là, je ne vais pas faire le difficile, dit-il en souriant. On se retrouve sur place.*
— *À tout de suite, Lionel. Je t'expliquerai.*

Né à la veille de la guerre franco-prussienne de 1870, le Théâtre des Folies Bergère est de nos jours encore, l'une des salles les plus célèbres au monde. Depuis plus de 150 ans, sa façade classée, son Hall grandiose ainsi que ses nombreux éléments Art-Déco, en font un témoin de l'histoire du spectacle vivant. Arrivé sur place, une autre surprise attendait Lionel, Mathieu n'était pas seul. Une belle jeune femme lui tenait le bras. En la voyant, avant même de la connaître, avant de savoir qui elle était, Lionel se dit que cette présence à elle seule justifiait le déplacement au pied levé qu'il venait de faire.

— *Bonsoir Mathieu ; bonsoir Mademoiselle.*
— *Bonsoir.*
— *Lionel, tu te souviens de la petite fille qui jouait avec nous, l'été, en vacances ? Quelquefois, nous étions presque une dizaine. Voici Alexandra, ma cousine. Tu vois Lionel, pendant que toi et moi nous vieillissions, Alexandra grandissait, ajouta Mathieu en souriant.*
— *Oui, bien sûr, je me souviens. On s'embrasse Alexandra.*

Ils se placèrent tous trois dans la file d'attente et Mathieu répéta l'explication déjà en partie donnée à Alexandra. Disons que j'ai saisi l'occasion, dit-il pour commencer. Tu sais que dans les lieux de spectacle par sécurité un pompier est présent. Il arrive que le régisseur offre quelques places au chef de ces militaires. C'est le cas. Comme dans mon boulot je suis en contact régulier avec ce sous-officier, à son tour il m'en a fait profiter. Ça fait partie des petits gestes qui entretiennent les bonnes relations. Ça fait surtout partie de la politique de promotion du théâtre. Mais le temps que les billets passent de mains en mains, la date limite approche. Mon seul mérite est d'avoir croisé l'Adjudant-chef des pompiers, ce matin.

L'ouvreuse les plaça de sorte qu'Alexandra se retrouve entre nos deux compères, ce qui permit à Lionel de vite engager la conversation avec elle, tout en s'adressant simultanément à son copain. Assez vite, le spectacle commença.

Simple théâtre à sa création, à partir de 1912 la salle des Folies Bergère éblouit le Tout-Paris, et le monde par la création de revues et spectacles extravagants. Le spectateur assiste à une succession de tableaux dans lesquels les célèbres Petites femmes nues revêtent d'impressionnants costumes en plume dans une mise en scène stupéfiante au sein de décors époustouflants. Au début des années trente la scène des Folies Bergère invente le Music-hall, alors symbole de la vie parisienne et du plaisir à la française. En 1936, le théâtre des Folies Bergère confirme sa dimension internationale en accueillant Joséphine Baker. Les Folies savent évoluer au tournant des années 1980 pour ne pas subir la forte désaffection survenue à cette époque pour le genre Revue. La scène des Folies Bergère connaît une nouvelle évolution à peine dix en plus tard, en s'ouvrant à l'humour. Enfin, c'est en 1993 que l'institution rompt avec le passé en accueillant des Comédies musicales et des Concerts.

Après le spectacle, un verre s'imposait. Ils s'engouffrèrent tous trois dans le premier établissement venu, le Café des Folies, pour parler spontanément de l'éblouissement qu'ils venaient de vivre. Lorsqu'au bout d'un moment la conversation retomba, Mathieu, prétextant une obligation matinale, saisit l'instant pour s'éclipser. Ni Lionel ni Alexandra n'insistèrent pour le retenir. Le fait qu'ils se soient connus dans le passé, même enfants, et l'entremise bienveillante de Mathieu avaient facilité leur mise en confiance. Aussi, ce premier tête-à-tête leur permit de vite tout savoir l'un de l'autre. Alexandra avait cinq ans de moins que Lionel. Une différence importante dans l'enfance, négligeable chez des adultes. Elle s'apprêtait à venir vivre à Paris où elle venait de décrocher son premier emploi dans la publicité. C'est d'ailleurs la raison pour laquelle elle était là aujourd'hui, en recherche d'un logement. Elle était certaine qu'elle n'aurait pas à regretter sa vie à Troyes ou elle vivait seule, dans le grand appartement que lui avaient laissé ses parents, maintenant disparus. Alexandra n'était pas inquiète non plus sur sa capacité à recréer rapidement un réseau de connaissances, une fois réinstallée. Et surtout, Alexandra parlait avec enthousiasme du métier qu'elle allait exercer dans cette nouvelle Agence. Lionel découvrait tout cela avec ravissement. Il n'avait pas l'impression d'exagérer ni celle de s'emballer en ne trouvant que des qualités chez Alexandra. Plus que mignonne, d'une belle beauté naturelle, petite brune piquante, aux beaux cheveux mi-longs et aux magnifiques yeux verts. Bien proportionnée, ni trop peu élégante, souriante et aimable à souhait. Tout au long de leur conversation, Lionel avait apprécié sa bonne éducation, son humour et l'attention qu'elle savait porter aux autres. Il ressentit toute son intelligence lorsqu'en trois phrases courtes et simples elle réussit ce que personne n'avait su faire jusqu'à présent : expliquer avec des mots de tous les jours, l'articulation entre eux des deux termes, marketing et publicité. Une question de pleine actualité, vue l'importante évolution des façons de vivre et de consommer, que présentait l'époque. Sans hésiter, Alexandra expliqua.

— *Pour faire simple, dit-elle, le mot publicité remplace le terme plus ancien de réclame. Les deux mots désignent une communication qui promeut la vente de biens et de services et peut se faire sous formes écrite, orale ou visuelle. De son côté, le marketing s'occupe, lui, d'organiser au mieux la mise en vente de ces produits et services, dans les meilleures conditions de profit.*

— *Publicité et marketing sont donc complémentaires, questionna Lionel.*

— *Oui. Plus exactement, c'est le marketing qui dit à la pub ce qu'elle doit dire pour vendre.*

— *Lionel tenta alors de reformuler. La pub – je crois que l'on dit aussi la création publicitaire –, la pub donc, est au service d'une stratégie marketing.*

— *Oui, lui répondit-elle dans un sourire charmeur. Mais attention, la publicité doit suffisamment se détacher du marketing. Elle est là, pour faire rêver le client, pour le séduire. Et c'est à ça que je vais travailler, mais pas seule. Nous sommes toute une équipe, ajouta-t-elle en un bel élan de modestie.*

— Ce doit être passionnant surtout lorsque l'on trouve enfin le bon mot, le bon slogan, la bonne formulation. La bonne présentation des choses... et si en plus ça marche...

— Oui. Quelquefois, c'est évident, d'autres fois il faut chercher longtemps. Quant au résultat, il est vite mesuré. Il suffit de suivre le chiffre des ventes.

— Tout ça est assez nouveau pour moi. J'ai aussi remarqué que les gens ne savent pas toujours en parler simplement. Pourquoi, d'après toi ? questionna Lionel, qui commençait à se prendre au jeu.

— Peut être tout bêtement par manque de simplicité, dit-elle avec un rire moqueur dans la voix. Ou le souci de ne rien oublier qui complique les choses.

— Comment ça ?

— Quelquefois à vouloir tout dire on en dit trop. C'est en quelque sorte une censure pernicieuse, involontaire, mais bien réelle. Je crois que les spécialistes appellent le phénomène la saturation du récepteur, certains parlent aussi de saturation médiatique, pour la radio et la télé.

— Ah bon

— Et puis tu sais, le marketing et la pub c'est politique, et la politique ce n'est jamais simple.

— Politique ? Le marketing et la pub ?

— Oui, tout à fait. Ils sont là pour donner le choix, et donner le choix c'est le début de la démocratie. Le début de la politique. Défendre son opinion, même par la pub, ça l'est aussi.

— Oui, sans doute, s'entendit répondre Lionel.

La capacité d'analyse d'Alexandra, son aptitude à simplifier les choses sans les déformer, celle à faire des synthèses et aussi son aisance à parler clairement de questions complexes, le charmait littéralement. Elle avait aussi parlé de ses parents, expliquant l'importance du rôle modérateur qu'avait tenu sa maman dans leur couple. Là encore, les propos d'Alexandra étaient clairs, intéressants et même édifiants.

— Papa était suffisamment présent, à la fois pour Maman, ma sœur Maude et moi. Il était attentionné et généreux, mais il avait la mauvaise habitude de décider sur des coups de tête. Ce qui créait des situations délicates, surtout quand il choisissait à notre place.

— En effet, j'imagine.

— Heureusement, Maman s'était adroitement adaptée. Elle savait le remettre sur la bonne voie, toujours en douceur, avec tact et diplomatie. Tous deux en avaient pris l'habitude. Il lui disait en plaisantant, tu as encore réussi à me cornaquer au milieu de la porcelaine.

— Visiblement, il ne manquait pas d'humour.

— Oui, c'est vrai, il n'en manquait pas. Papa savait surtout qu'elle était perspicace, qu'elle croyait en lui et il savait qu'elle ferait toujours tout pour le conseiller au mieux.

— Je vois. Ton papa avait confiance en sa femme.

— Oui. Quand ils ont découvert la citation de Victor Hugo dans Les Misérables, ce génie particulier de la femme qui comprend l'homme mieux que l'homme ne se comprend, ils en ont parlé et reparlé des dizaines de fois. C'était devenu un jeu entre eux.

Alexandra avait présenté les choses avec tellement de conviction que Lionel s'était demandé un instant s'il ne s'agissait pas d'un message qu'elle lui faisait passer, à propos de ce qu'elle attendait d'un homme. Pourquoi pas, ce qu'elle attendait précisément de lui ? Toujours autant intéressé par ses propos, il lui demanda ce qui était important pour elle dans la vie. Elle n'eut pas à réfléchir longtemps.

— D'abord éviter la routine, dit-elle. Que ce soit dans ma vie privée ou celle professionnelle, j'ai besoin de bouger, de découvrir. Ma préférence ne va pas aux choses ni aux gens trop prévisibles. Ce qui ne m'empêche pas d'être fidèle à ce en quoi je crois, qu'il s'agisse d'idées ou de personnes. Et puis, comme tout le monde, j'ai besoin d'être comprise, respectée, écoutée. Quelquefois, j'ai aussi besoin d'être soutenue.

— Voilà un beau programme. À croire que nous avons eu les mêmes professeurs... mais je suis étonné que tu ne fasses pas sa place à l'intelligence.

— Si ! Bien sûr que si. J'en parle, mais indirectement. Quand je dis, Maman s'est adroitement adaptée, pour moi c'est ça l'intelligence. Avoir de l'humour aussi suppose d'être intelligent. C'est un ensemble de facultés, l'intelligence : comprendre, apprendre, s'adapter... expliquer, plaisanter.

— J'avoue, l'idée est séduisante. Celle d'un ensemble d'aptitudes dont la présence serait gage d'intelligence.

Bien que l'intelligence soit très étudiée scientifiquement, il n'est pas de définition qui fasse l'unanimité. À ce jour, trop de questions restent encore posées. On peut cependant avancer sans grand risque, qu'un comportement qui mettrait simultanément en œuvre d'une part le sens de l'humour, d'autre part une dose suffisante d'adaptabilité et en troisième lieu une bonne capacité de synthèse, a toutes ses chances de toucher à l'intelligence. Après, comme en toute chose, les caractéristiques individuelles entrent en jeu. Par exemple, il n'est pas rare que les femmes obtiennent de meilleurs résultats que les hommes aux tests de Quotient intellectuel (QI), ces instruments de mesure, pas parfaits, mais tout de même parlants. Oui, une fois encore, désolé Messieurs, les femmes sont plus intelligentes ! Du moins, en termes de QI. C'est James Flynn, un spécialiste des tests d'intelligence, qui a annoncé la nouvelle dans le Daily Mail. Il a constaté qu'à partir des années deux mille, les scores aux tests de QI n'ont cessé d'augmenter pour les deux sexes, ceux des femmes progressant plus rapidement. Selon Flynn, l'explication tient au fait que dans notre monde, les capacités intellectuelles de l'être humain, de plus en plus sollicitées s'accroissent. Or les femmes activent systématiquement un double profil combinant vie professionnelle et familiale, ce qui les surentraîne.

Assez soudainement, Alexandra réalisa qu'il été près de deux heures.

— *Il est tard. Le temps est vite passé, je dois rentrer. Demain, j'ai deux visites d'appart, un studio et un 2 pièces. Puis je retourne à Troyes pour les trois dernières semaines du mois.*

Lionel, absorbé par ses pensées marqua un temps avant de répondre. Il se disait, pour moi aussi, le temps est vite passé.

— *T'as raison. Excuse-moi Alexandra, je réfléchissais. Cette soirée inattendue est très agréable. Mais moi aussi j'ai du boulot, j'ai pas mal à écrire. Voilà ce que l'on va faire pour rentrer. D'après ce que j'ai compris, ton hôtel est près de chez Mathieu. Alors on prend le même taxi et je te dépose. C'est à peu près ma direction.*
— *Oui, c'est vraiment petit chez Mathieu. C'est du provisoire depuis sa séparation… d'accord pour le taxi, d'autant qu'à l'heure qu'il est, on n'a pas le choix dit-elle en souriant.*

Le serveur du Café des Folies, allant de lui-même au-delà de la demande, appela directement un taxi qu'il devait connaître. Lionel en déduit que ce service, manifestement habituel, valait un pourboire majoré au tarif de nuit. Durant le parcours, ils échangèrent leurs numéros de téléphone et au moment de déposer Alexandra, Lionel lui répéta qu'il avait passé un bon moment auprès d'elle. C'est d'une seule bise à la commissure des lèvres qu'ils se souhaitèrent une bonne nuit.

Quand une femme se sent comprise, estimée, reconnue, aimée,
elle peut être inépuisable en activité et en douceur.

Henri-Fréderic Amiel

24
Le bonheur se vit

— *Bonjour Alexandra, c'est Lionel. Mon appel est un peu matinal, j'te dérange pas ?*

— *Non, non, pas du tout. J'ai déjà téléphoné à Maude, ma sœur. En semaine, nous sommes toutes deux matinales.*

— *Figure-toi, Alexandra, je suis de retour dans le bistrot où nous étions l'autre soir. J'avais oublié mon écharpe. Je l'ai retrouvée, le serveur, celui qui a appelé notre taxi, l'avait mise de côté.*

— *C'est sympa. Si non, tu vas bien Lionel ; t'as pu écrire ce que tu voulais.*

— *Oui, je suis à jour. Et toi, ces visites d'appart ?*

— *Je vais prendre le 2 pièces. Il est un peu cher, mais les appartements parisiens sont minuscules, alors le studio... J'aurais les clés lundi 3, je m'installerai dans la foulée. L'Agence va tout repeindre en blanc.*

— *Si je peux t'aider, Alexandra, n'hésite pas. Pour poser des étagères, suspendre des rideaux ou pour d'autres bricolages. Surtout que j'aime bien bricoler. Au fait, il est où dans Paris ton 2 pièces ?*

— *Dans le XIIᵉ, à deux pas de la place de la Nation.*

— *Oui, je vois. C'est bien desservi en métro et bus. Dis ? tu as encore deux semaines avant de déménager, et si je venais te voir ?*

— *Oui, pourquoi pas. C'est que j'ai tellement de choses à régler avant de partir. Même si en ce moment je ne travaille qu'à mi-temps, il me reste encore pas mal à faire. Maintenant que j'ai la date, c'est tout un changement de vie qui s'annonce.*

— Dis-moi Alexandra, la Cathédrale, c'est bien celle qui n'a qu'une tour ? la photo m'a toujours intriguée dans le dictionnaire. Et puis, je suis sûr que la vieille ville ne manque pas de charmes ni de petits restos.

— Ah, la cathédrale. Je veux bien la revoir une dernière fois. Donne-moi tes dispo, je te dirai.

— Tu m'as l'air pas très fan de cathédrale.

— Non, ce n'est pas ça, mais elle a hanté mon enfance, la cathédrale. Chaque fois que quelqu'un venait à la maison, famille ou amis, on allait voir la cathédrale.

— Oui, en effet. Je comprends mieux.

— Moi c'était le jardin qui m'intéressait. Plus tard la fête foraine, et encore plus tard les rues piétonnes. Mais c'est d'accord, j'en profiterai pour lui dire aurevoir à la cathédrale, dit-elle le rire dans la voix.

— Merci. On ne s'attardera pas. Pour mes disponibilités, ce n'est pas compliqué, dans le boulot je suis à jour. Donc, c'est quand tu veux Alexandra, à partir de tout de suite, dit-il en riant à son tour.

— Alors samedi. Oui, c'est bien samedi. En début de matinée, comme ça, on aura tout le temps.

— Volontiers, très volontiers samedi. Je prends les horaires des trains et te rappellerai. Je suis content. Grosse bise Alexandra, à samedi.

— Bise Lionel, bonne journée.

Le travail de la femme dans la société médiévale a souvent été cantonné aux secteurs alimentaires et textiles. Celles-ci ont pourtant largement collaboré aux activités artisanales, y compris la construction des cathédrales. Dans les faits, soit en raison de poncifs, qui circulaient déjà sur le manque de force physique des femmes ; soit par impossibilité qui leur été faite d'accéder aux « Techniques et Mystères de l'Art », les femmes déjà largement victimes de discriminations, ont d'abord été cantonnées dans des tâches subalternes. Par exemple la préparation du mortier. Plus tard, certaines sont devenues bâtisseuses sous la surveillance de leurs époux. À la même époque, la tradition qui voulait que les veuves prennent la succession professionnelle de leurs maris est progressivement devenue une règle, et le temps passant, le statut de la femme bâtisseuse, n'a plus été une exception. De nos jours les discriminations à l'embauche consistant à favoriser un candidat à un emploi, au détriment d'autres, existent encore, à l'instar de celle positive à l'égard des femmes à la SNCF et la RATP dont nous avons parlé plus haut. Pourtant la loi interdit l'usage de critères tels que le sexe, l'origine, l'âge ou le lieu de résidence. En vérité, il semblerait qu'à l'inverse de l'exemple que nous venons de rappeler, les femmes sont fréquemment les premières victimes de cette ségrégation, le plus souvent pratiquée par les responsables de ressources humaines ou les responsables hiérarchiques directs.

Lionel, le cœur léger à l'idée de vite revoir Alexandra, pensa assez soudainement qu'il avait à remercier son ami Mathieu. Il rechercha dans son répertoire téléphonique papier, le numéro à huit chiffres de ce dernier et le composa sur son tout nouveau téléphone à clavier, bien plus pratique et surtout plus rapide que l'ancien cadran rotatif des années soixante.

— *Bonjour Mathieu. Allo, oui, allo. Ah, mince c'est le répondeur… Euh... Mathieu c'est Lionel… Je te dis merci pour l'autre soir. C'était très bien. Et puis Alexandra est adorable. D'ailleurs, je vais la revoir ce week-end. Merci. Mathieu, rappelle-moi si tu as ce message.*

Dans les années quatre-vingt, les premiers répondeurs téléphoniques fonctionnaient avec des bandes magnétiques. Malgré leur bonne qualité audio, ces appareils encombrants et chers n'ont pas vraiment connu le succès. Souvent, les appelants surpris n'osaient pas déposer de message. À l'époque, on a d'ailleurs pu constater, sans trop savoir pourquoi, que les hommes se montraient plus réticents et encore plus gênés que les femmes.

Arrivé en gare de Troyes, Lionel trouva facilement son chemin. Alexandra lui avait proposé de la rejoindre directement chez elle où ils prirent, lui un café, elle un thé, ce produit aux nombreuses vertus, disait-elle. Elle lui expliqua que la Cathédrale était à deux pas d'ici ainsi que la Cité du vitrail, le Musée des beaux-arts et d'autres lieux touristiques. Ajoutant que de tous ces endroits c'est la rue des chats qui avait sa préférence. Allant même jusqu'à avouer à Lionel que sa partialité pour cette venelle tenait probablement plus à son amour pour les minets, qu'à la rue en soi.

Les chercheurs hongrois de l'université Loránd Eötvös de Budapest après avoir interviewé 153 propriétaires de chats, ont pu déterminer que les petits félins préfèrent les femmes aux hommes. Les scientifiques ont d'abord constaté que les femmes choisissent plus volontiers un chat comme animal de compagnie. Pour ensuite préciser que cette préférence n'était pas seulement influencée par le fait que le chat est plus souvent soigné par sa maîtresse que par son maître. Alors pourquoi cette attirance réciproque ? Ce sont d'abord les caresses des femmes, en tant que gestes consolateurs qui présentent l'avantage d'apaiser simultanément les matous et leurs maîtresses. Puis, la voix de la femme généralement plus modulée que celle d'un homme, souvent douce et persuasive participe à la séduction du chat. Enfin, la tolérance dont la femme fait généralement preuve envers les animaux facilite l'établissement d'un lien affectif avec les chats, alors que les hommes auraient tendance à vouloir les maîtriser. Quant à la rue des chats, Lionel la trouva non dépourvue d'originalité. C'était une étroite ruelle avec sa rigole centrale donnant une idée très améliorée, des rues médiévales dont les façades en encorbellement se touchaient presque par le sommet. De sorte que les chats passaient facilement d'un toit à celui d'en face, d'où son nom. Une architecture originale qui offrait comme avantage de protéger les étages inférieurs des eaux de pluie.

Alexandra et Lionel occupèrent le reste de la matinée à flâner, dans le quartier de la vieille ville dit du Bouchon de Champagne. Une appellation tenant à l'emprise géographique de ce secteur de la ville. Ce fut d'abord, la visite de la Cathédrale lors de laquelle Lionel se fit confirmer que l'absence de deuxième tour était due à un manque de financement et rien d'autre. Contrairement à quelques rumeurs, il n'y avait jamais eu de terrain marécageux menaçant de faire s'enfoncer le bâtiment, ni de rivière, ni de lac souterrain. Puis ils flânèrent longuement dans les ruelles typiques du quartier historique. Midi étant déjà là, c'est en terrasse qu'ils s'installèrent pour déjeuner. Alexandra choisit une salade, Lionel ne put résister à l'andouillette de Troyes fleuron du savoir-faire culinaire local, disait la carte. Les deux se rejoignirent sur un dessert chaud et froid, très chocolaté. Alexandra s'estimait volontiers spécialiste du choix et de la préparation du thé, dont elle disait qu'il se déguste avec le même professionnalisme et la même attention que le vin. Aussi elle proposa tout naturellement de prendre cette boisson chaude à deux pas d'ici, à la maison. Arrivés chez elle, la porte tout juste refermée, ils se tournèrent simultanément l'un vers l'autre, comme si un ordre supérieur indiscutable le leur commandait. Les yeux rivés dans ceux d'Alexandra, Lionel l'enlaça avec toute la délicatesse de sa force contenue. Ses lèvres plaquées sur les siennes ils échangèrent un long baiser brûlant, profondément doux. À peine avaient-ils fini de s'embrasser, Lionel s'excusa de ne pas avoir su attendre. Elle ne répondit pas, préférant se pendre à son cou pour lui rendre la pareille avec autant de fougue, de ferveur, d'application et d'amour. Fini la balade culturelle, plus question de traditions médiévales, oubliées les spécialités et traditions locales, ils n'en étaient plus là.

Mardi matin dans le train pour Paris, Lionel réalisait à quel point une fois encore, il avait eu de la chance. Parti rejoindre Alexandra pour quelques heures, il avait pu la serrer dans ses bras, jour et nuit, trois jours entiers. Qu'aurait-il pu espérer de mieux ? Qu'aurait-il pu souhaiter de plus que ce bonheur absolu ? D'autant que sa première impression se confirmait, même dans les détails il ne lui trouvait que des qualités. Aucun doute, les choses se présentaient plus que bien pour leur nouveau couple. À moi de ne pas faire l'idiot, se dit-il.

Puis, Lionel se lança dans une auto-explication silencieuse.

Jusqu'ici, je n'avais pas bien compris l'évolution de la place qu'occupent les femmes dans notre société : même en couple, elles aspirent à une relative indépendance. Au train où vont les choses, bientôt elles n'auront plus besoin d'un homme. Heureusement pour nous elles en éprouvent encore le désir. À l'avenir, je devrais mieux l'écouter, bien la comprendre ; cultiver notre complicité. J'aurai à mesurer toute sa valeur aux yeux des autres hommes, et veiller en conséquence, sur le trésor qu'elle représente. Je devrais lui accorder toute l'importance qu'elle mérite ; ne jamais imaginer que les choses sont acquises ; ne pas laisser s'installer entre nous la routine ni les habitudes tueuses de sentiments. Alors, et alors seulement, j'augmenterai mes chances de ne plus être l'homme que les femmes quittent.

Document : **le Violentomètre**

Le Violentomètre est un instrument de mesure des comportements violents.

Avec le Violentomètre, il suffit de répondre à une vingtaine de questions pour déterminer la nature d'une relation de couple.

Créé en Amérique latine le Violentomètre a été repris et adapté par l'Observatoire des Violences envers les femmes, du Conseil départemental de Seine-Saint-Denis. Un travail mené en partenariat avec l'Observatoire parisien de lutte contre les Violences faites aux femmes et avec l'association, En Avant Toute(s).

Le Violentomètre indique, en VERT une relation saine ; en ORANGE des comportements à surveiller et en ROUGE une relation de couple Violente, nécessitant de l'aide.

▶ Le Violentomètre s'adresse à toutes et tous, quel que soit l'âge.

▶ Le Violentomètre existe en anglais, espagnol, arabe, mandarin, farsi et turc ;

▶ Le Violentomètre est adapté en version gros caractères et en version braille français.

Gratuit sur Google : PDF violentomètre

Imprimé en Allemagne
Achevé d'imprimer en août 2023
Dépôt légal : août 2023

Pour

Le Lys Bleu Éditions
40, rue du Louvre
75001 Paris